JN238050

Trade
off

トレードオフ

上質をとるか、手軽をとるか

ジム・コリンズ 序文

ケビン・メイニー 著　有賀裕子 訳

プレジデント社

ではさらに五年もの歳月を要したのだった。

ケビン・メイニーは、躍動感溢れるテクノロジーの世界、テクノロジー企業の興亡、そしてテクノロジーを活かして世界を変えようとする人々をめぐる洞察の深さにかけて、屈指のジャーナリストである。出会った時のこの印象は今も変わっていない。人々が何によって突き動かされるかを見抜くことにかけて、ケビンは特異ともいえる才能を持っている。

新しいテクノロジーを発明するのも、企業を築いたり滅ぼしたりするのも、権力をふるうのも、賢明な行いをするのも、愚行に走るのも、結局のところ「人」である。アンディ・グローブのような賢人、アン・マルケイヒーのような変革のリーダー、ビル・ゲイツのような独創的な起業家、マイケル・ブルームバーグのような公人など、誰を取材していようとも、相手の胸の内を完全に読み取ってそれを記事に反映させる。耳目を鋭利に働かせ、聞いた内容を解き明かし、それを私たちに向けてこのうえなく明快に伝える方法を探り出す。

ケビンはUSAトゥデーのテクノロジー記者だった二〇年間に、六〇〇〇本以上のコラムと数十本の特集記事を手がけ、二冊の著書を世に出した。テクノロジーやビジネスをめぐるきわめて重大な出来事の数々をまぢかで眺め、一九九〇年代と二〇〇〇年以降の景気の浮き沈みをそのただなかで経験した。

インターネットの誕生と普及。彗星のようなネットスケープの登場とそれにつづくブラウザ戦争。アップルの不死鳥ぶり。PC業界でのマイクロソフトの覇権と近年におけるその揺らぎ。IBMの凋落と目覚ましい再生。グーグルによる世界の検索市場の席巻。ＡＯＬの誕生とタイムワーナーとの不幸な合併。モトローラの浮沈と惨状。ロシアにおける民間コンピュータ産業の萌芽。中国におけるインターネットの黎明……。このほかにも何十という壮大なストーリーを追いかけるなか、ケビンはそれぞれの主役たちにインタビューを行い、錯綜した情報のなかから意味を探りあてた。テクノロジー、企業、産業の急速な発展をただ取材したのではない。特筆すべきは、変わりゆく状況を追いながら、同時進行でその本質を見抜いていた点である。

ケビンはこれらの仕事を手がけるなか、ひときわ異彩を放つ取材相手たちについてある結論を導き出した。それら卓越した人々は、慎重に考え抜いたうえで難しい選択をする勇気を持ち合わせているうえ、「何もかもできる」などという錯覚に陥ることなく、自分が抜きん出る可能性のある分野だけに力を注ぐのだ。

ケビンが導いた結論は真実を衝いているように思われる。私は同僚とともに偉大なる企業の成り立ちを探るうえで、傑出したリーダーを研究対象としたが、それらリーダーたちは間違いなく、厳格なきまりをもとに決断を下していた。成長や目先の成功をむやみに追い求めたりはしない。風見鶏のようにころころと方針を変えるのではなく、核となる信念を執拗なまでに貫きとおす。何をすべきかだけでなく、何をすべきでないかにも、細心の注意を払う。

本書でケビンは、以上のような考えをよりどころとしながら、一歩下がった立場から従来の仕事の集大成ともいえる概念を示した。これまで観察してきたことがらの多くをひとまとめにして解き明かすその概念とは、「心を鬼にして上質さと手軽さのどちらかひとつに賭けようとする者は、煮え切らない者よりも大きな成果を手にする」というものだ。本書は戦略のレンズを読者に提供するが、何をすべきか、何を避けるべきかをじかに映し出すわけではない。むしろ、それよりもはるかに望ましい役割を果たしてくれる。きわめて有益な問いを突きつけることにより、読者をそれぞれのひらめきと英断に導くのだ。

本書のページを繰ると、ごく自然にいくつもの問いが浮かび上がってくるはずである。それらの問いをもとに職場の仲間や部下たちと真剣に議論を交わせば、何をすべきか、あるいは何をすべきでないかを深く理解できるばかりか、その理由は何かという、さらに重要な問いへの答えまでもが引き出せるだろう。戦略コンセプトの第一にして最大の効用は、徹底的に考え抜いたうえで妥協なき決断を下すためのレンズと励ましを与えてくれることだ。肝心なのは、それが真実かどうかではなく、有用かどうかである。この点に関して私は、ケビン・メイニーが考案したフレームワークはきわめて有用だと断言できる。

ケビンが本書の原稿の仕上げをしているころ、私は彼をファースト・フラットアイロンへの岩登りに誘った。コロラド州ボールダーのわが家を見下ろす三〇〇メートル少々の砂岩壁である。岩登りに不慣れなケビンにとっては、挑戦意欲をかき立てる反面、疲労困憊する経験でもあった（次の日「まるで交通事故に遭ったみたいに体中ガタガタだ」と書いてきた）。彼にとってスリルに満ちた何時間かが過ぎたあと、私たちは頂上にたどり着いた。のんびり帰路をたどるあいだは終始、刊行前のこの本についての会話がはずんだ。

ケビンは、「慎重な選択が切実に求められている」というテーマについて熱く語り始めた。

もし企業のリーダーが将来への布石として、執念にとりつかれたように熟慮したうえで判断を下すのを怠り、目先の利益だけを血眼になって追い求めたなら、ごくありきたりな企業しか築けないだろう。政界のリーダーが、政策が有効かどうか、財政面で長く支えられるかどうかを真剣に見極めるのを怠ったなら、自国を歴史的な停滞へと導くだろう。学校が成果につながる教育に重点を置かず、医療制度が人々を健やかにする施策を実現せず、教会が信者数の増加と魂の成長を区別せず、非営利団体が使命をなおざりにしたら、公共セクター、ひいては社会までもが望ましい状態から遠ざかっていく。若いうちに、さまざまな選択をしてその結果を受け止める必要性を理解しないなら、その人たちはいくら年齢を重ねても輝けないだろう。

「ということは、ケビンのコンセプトは個人の生活や仕事にも当てはまるわけだね？」と私はたずねた。

「そのとおり」とケビン。「ただ働き口を確保するだけでなく、際立った存在になるためには、何をとり、何を捨てるかを決めなくちゃいけない。与えられた仕事をこなすおおぜいのなかのひとりとして、採用候補者のリストに載せてもらうだけでなく、それ以上の存在になるための方法を見つけ出さないとね」。

私たちは、たいていの人々は腹を据えた決断を避け、偉大な人生ではなくほどほどの人生に甘んじているとも話し合った。本書の最終章ではまさにこの点を指摘しており、その部分を執筆するにあたってケビンは私の「飛躍の法則」、つまり「ハリネズミの概念」を参考にしたのだという。

個人がハリネズミの概念を持つとは、①情熱（自分の信条に沿っていて心から打ち込める分野）、②資質（資質に恵まれていて抜きん出た成果をあげられる分野）、③価値ある貢献（経済や社会に貢献しながら生活の糧を得られる分野）、以上三つの円が重なる分野で進むべき道を切り開くことを意味する。ケビンは上質さと手軽さ、つまり、手に入れるのが難しい特別な存在であることと、質の面ではいまひとつであっても手に入りやすい存在であることを対比しているが、これは、自分に合った、自分ならではの道を切り開くためのコンセプトでもある。重宝はされても十人並みであるよりも、かけがえのない価値を持った存在であるほうが望ましいはずだ。

ケビン・メイニー自身もこのコンセプトに沿って地歩を固めてきた。「USAトゥデーの記者」という立場に安住せずにみずからそこを飛び出し、自分にとっての三つの円が重なる分野をよりどころにして独自の道を歩み始めた。伝統的な職業を前提とした伝統的な道筋と、自分らしい仕事を前提とした創意に満ちた道筋とを天秤にかけ、後者を選びとったのだ。彼の肩書は「ケビン・メイニー」である。自分にふさわしい三つの円を探りあて、それらをよりどころに生きていこうと決意するのは、ごく一握りの人々であり、ケビン・メイニーはそのひとりなのだ。

二〇〇九年六月　コロラド州ボールダーにて　ジム・コリンズ

はじめに

二〇〇五年秋、私はサンフランシスコに赴き、ウェブ2・0という技術コンファレンスに参加した。会場になったとあるホテルのだだっ広い宴会場では、三〇〇〇人もの参加者が小さな椅子をあてがわれてすし詰め状態だったため、「サウスウエスト航空が運営しているに違いない」というジョークが飛び交っていた。ステージ上では、ネットフリックスのリード・ヘイスティングスCEO（最高経営責任者）がテクノロジー分野の起業家マーク・キューバンと対談していた。キューバンは、プロ・バスケットボール・チーム、ダラス・マーベリックスのオーナーとしても有名な億万長者であり、とかく世の中を騒がす人物でもある。

対談の内容はほとんど記憶にないのだが、ヘイスティングスが語ったネットフリックスの経営哲学だけは印象に残っている。ネットフリックスは、映画DVDを会員に郵送でレンタルし、鑑賞を終えたら送り返してもらうという事業を展開している。ヘイスティングスは技術に詳しい聴衆を前にして、自社がなぜ郵便のような昔ながらの仕組みに頼る方法を変えようとしないのか、その理由を説明する必要があると感じていたようだ。

ネットフリックスの顧客の大多数は、ネット上で映画をすぐにダウンロードできたとしても、そのためにソフトウェアを手に入れたり、著作権侵害対策にともなうわずらわしさを我慢したりするのはごめんだと考えている。それよりも慣れ親しんだディスクを封筒から取り出してＤＶＤプレーヤーに差し込むほうが、はるかに手軽であるうえ、鑑賞をとおして得られる満足度も高い。ヘイスティングスは、あるシンプルな基本原則をもとにネットフリックスの戦略を決めたという。「人々は上質さと手軽さを引き比べてどちらか一方を選ぶ」という原則である。ヘイスティングスは、ネット上からすみやかに映画をダウンロードするよりも、郵送でＤＶＤを受け取るほうが上質な経験が得られるはずだと睨んだ。

私はテクノロジー業界のＣＥＯや起業家たちを二〇年にわたり取材してきたが、思い起こせばそのうちの何十人もが、具体的な表現や説明のし方はまちまちにせよ、ヘイスティングスの示した原則と大同小異の中身を語っていた。ウェブ２・０が開催される何年か前に、ゲームソフト会社エレクトロニック・アーツの創業者トリップ・ホーキンスに会い、携帯電話向けゲームの新会社デジタル・チョコレートについて取材した折、ホーキンスも似たような哲学を披露してくれた。テクノロジー分野を専門とする投資家ロジャー・マクナミーとも、カリフォルニア州メンロパークのサンドヒル・ロードにある彼の事務所で長時間、上質さと手軽さのシンプルな二者択一をめぐって意見を交わしたものだ。さらに遡って一九九〇年代はじめには、大きな注目を集めながらも結局は傾いた新興企業ゼネラル・マジックのマーク・ポラットＣＥＯが、やはり同じ二者択一について語っていた。

私は思った。ホーキンスが示した基本原則は、世の中の動きをつかむための素晴らしいレンズなのではないか。新商品の構想、ブランドのポジショニング、自社戦略の策定、ライバル企業の分析などに際して、きわめて貴重なひらめきを与えてくれるかもしれない――。このシンプルだが効果絶大なアイデアは私の心をとらえて離さなかった。そこで、これについてさらに多くの人々と意見を交わし、考えを練っていった。二〇〇六年夏にはこうした探究の成果をUSAトゥデーの特集記事で紹介し、十月にも補足のコラムを書いた。どちらも、想像もしなかったほどの凄まじい反響を巻き起こした。一九九〇年代はじめ以降、私は累計で五〇〇本を超えるコラムを執筆していたが、そのなかで最大の反響だった。特筆すべきは、テクノロジー以外の業界からも意見が寄せられた点である。

当時ラスベガスに建設中だったWホテルのトップからは、「部下たちにコラムを回覧するつもりです」という便りが寄せられた（その後Wホテルは建設中止になってしまったが）。大手コンサルティング会社の戦略部門の責任者からも感想が届いた。中西部のいくつもの中堅企業のマネジャーからメールが送られてきた。私のコラムは人々の心の琴線に触れたようだ。あれほどの反響をもらい、ビジネスの世界に身を置く多数の人々と意見を交わしたことが、私をこの本の執筆へと駆り立てたのだ。

二〇〇九年　バージニア州センタービルにて　ケビン・メイニー

「トレードオフ」目次

第Ⅰ部

上質と手軽の天秤

プロローグ

映画業界は大きな苦境にあえいでいた。もとをただせば、消費者が「上質さ」と「手軽さ」を天秤にかけていたからだろう。そこで私はハリウッドの解決策を探るために現地へ赴き、『アバター』の製作現場に行き着いた。

ジェームズ・キャメロン監督が3D映画『アバター』の撮影に使っていたのは、高校の体育館を少し大きくしたような建物だった。監督は撮影をめぐって異例なほどの秘密主義をとっており、メディア関係者を内部に入れない。このため私は、監督を技術面で支えるヴィンス・ペースと話をするために、スタッフの事務所として使われていた撮影現場近くの地味な建物で彼を待った。建物のなかは、木机、蛍光灯、薄いベージュのカーペットなどが目につき、ミルウォーキーのボールベアリング卸売会社の本社跡といった風情だった。大きめのウォークイン・クローゼットくらいの会議室に案内された。やがてペースが姿を現した。青のゴルフシャツとジーンズを身につけ、バーベキュー料理とマカロニチーズの載った紙皿を抱えている。撮影が昼休みに入ったのだ。

ペースが開発した技術は、先進的な3D映画のほとんどに用いられており、なかにはキャメロンと二人三脚で開発したものもある。ペースは昼食をほおばりながら、最新の3D技術は従来のもののとはまったく異なるのだと説明してくれた。デジタル撮影技術を土台としており、これは映画の世界では比較的新しいものだという。彼は同機種のカメラ二台を組み合わせてひとつの3Dカメラに仕立て上げ、人間の目と同じように、やや異なる二つの角度から対象をとらえる方法を考案した。カメラがとらえた像をコンピュータを使ってデジタル化すれば、監督による加工や編集が可能になる。このデジタル技術が実用化されたのはほんのここ数年であり、これにより3D映画が夢から現実へと近づいた。もっとも、映画の製作コストは従来と比べて二〇％増しだが。

「道具や手法の改善が進み、コストも下がってきています。この恩恵により、エンターテイメントの水準は上がりますよ。3D化の潮流を押しとどめることはできないでしょう」。ペースは『アバター』のような3D作品について、「人々はお金を払ってでも鑑賞しようとするはずです」とも言い添えた。

ハリウッドはペースの考えに呼応した。ドリームワークスの共同設立者ジェフリー・カッツェンバーグは、製作会社はこぞってアニメ映画を3D化するだろうと請け合った。キャメロン監督は『アバター』につづく3D映画の構想を温めている。このほかにも、『ロード・オブ・ザ・リング』のピーター・ジャクソン、『ベオウルフ／呪われし勇者』『クリスマス・キャロル』のロバート・ゼメキスをはじめとして、錚々たる監督たちが3D映画の製作に乗り出している。このような動きは主立った製作会社すべてに広がっている。二〇一〇年以降、ハリウッドが発表する作品は3Dのオンパレードになるだろう。3Dが息の長い需要を生むのかどうか、今の時点では不明であるにもかかわらず。

　では、なぜ3Dの世界に飛び込むのか。なぜこれほどまでに性急に？

　ハリウッドが3Dに飛びついたのは、前立腺がんの影響でインポテンツになった著名政治家のボブ・ドールがバイアグラを使い始めたのと同じ理由からである。ハリウッドの主な収益源であるロードショーは、二〇〇〇年以降、勢いがしぼみ始めたのだ。

　二〇〇八年春にアメリカ映画協会が発表した数字からは、二〇〇七年の興行成績は良好だったように見える。国内のチケット売上は前年比五％増の九六億ドルだった。ところが、五％の増分はまるまる値上げの効果によるものだ。チケットの販売枚数は二〇〇六年とほぼ同じ一四億枚にとどまっている。しかも悪いことに、二〇〇二年の一六億枚と比べると減少している（テレビが普及する以前の一九五〇年には、年間にじつに三〇億枚もの映画チケットが売れていた）。他方、国内の映画館の総スクリーン数は年に五〇〇以上ものペースで増えている。つまり、スクリーンあたりの観客数は激減しているのだ。映画のロードショーはかつてない苦境に陥っている。

　製作会社の幹部たちが浮かない顔をするのも無理はないだろう。劇場公開に向けて宣伝に力を入れ、注目を引こうとすると、関連する玩具やゲームソフトはもとより、DVDやケーブルテレビに売上を譲る結果につながる。ウォルト・ディズニーの配給責任者チャック・ヴィアンは、「私たちは映画館のために作品を提供しており、人々にまずはロードショーを観てほしいと考えています。それがすべての原動力です」と語ってくれた。

ハリウッドは手詰まりを打開するために3Dに期待を寄せ、DVDやテレビでは味わえない鑑賞体験をもたらして興行成績を回復へと導こうとしている。ロードショーが直面する問題の核心は、映画を鑑賞しようとする人々が経験の上質さと手軽さとを天秤にかけていることにある。最近の映画館は、この二つのどちらも十分でないため多くの人々を惹きつける力に欠け、いわば不毛地帯になってしまっている。映画館の映像の質は、家庭でハイビジョン薄型テレビの大きなスクリーンでDVDを観るのとさほど変わらない。しかも自宅にいながらの鑑賞にはいくつもの利点がつきものだ。見知らぬ誰かが隣にすわるおそれもないし、用を足したくなったり、お腹が空いたりしたときは一時停止も思いのままである。そのうえ、手軽さという面でも映画館はとくに優れているわけではない。わざわざこちらから足を運ばなくてはならず、値段も割高であるうえ、都合のよい時間に上映されるともかぎらない。映画館の努力でこれらの点を飛躍的に改善するのは不可能というものだろう。一足早い作品公開をべつにすると、DVDやテレビと張り合うには、劇場での鑑賞をより上質なものにする以外に方法はない。ハリウッドは3Dをその切り札とみなしている。

ただし、上質さと手軽さとの対比からは、映画業界におそらく欠けているべつの視点も浮かび上がってくる。3Dは抜本的な解決にはならないかもしれず、それどころか、誤った答えであるおそれさえあるのだ。映画館が映像の質だけでホームシアターの上を行こうとしたなら、果てしない技術競争を繰り広げることになるだろう。むしろ、ホームシアターでの鑑賞とは全体としてまったく異質の経験をもたらして、真っ向勝負を避ける必要があるだろう。アメリカの主要地域で合計三二

○スクリーンを展開する映画館チェーン、マルコの業務担当副社長マイク・トムソンも、「家庭では手に入らない経験をお客さまに提供しなくてはいけない、そう考えています」と語っている。多くの映画館チェーンと同じくマルコもまた、ウェイターによる接客を行ったり、旧来のシートに代えてソファをしつらえたりして、より快適な鑑賞のための環境づくりに心を砕いている。トムソンは「映像の3D化も数ある要素のひとつではありますが、特効薬ではありません」と言葉を結んだ。

『アバター』に話を戻すと、ペースはキャメロンの撮影を助けるために私との話し合いを中座しなくてはならなかったのだが、去り際に自身が経営するペース社に言及した。ペース社には目覚ましい成長の余地があり、数多くの3D映画の製作を手伝えるはずだという。ペースは気さくだし、彼が開発した技術は間違いなく貴重なものだ。だが、3Dの力で観客動員数を押し上げられるかどうかは未知数である。すべては消費者の選択にかかっており、映画館に足を運ぶ面倒を補ってあまりある上質な鑑賞体験を3Dが提供できるかどうかは、今後の成り行きを見守るほかない。

＊＊＊

上質さと手軽さのトレードオフに直面しているのは、決して映画業界だけではない。この問題、つまり両者をどう天秤にかけるかは、およそあらゆる事業に関係してくる。スティーブ・ウィンがラスベガスに建てたいくつもの巨大ホテルの盛況ぶり、二〇〇八年にインドのタタが二五〇〇ドルで発売した低価格車の売れ行き、アイスホッケーリーグ（ＮＨＬ）の試合中継の低視聴率など、すべてが上質と手軽の天秤というコンセプトによって説明できる。ここ数年における新聞社の苦境も、IBMによるリナックスOSへの肩入れも、十代のあいだでテキストメッセージのやりとりがさかんになった理由も、これによって解き明かせる。上質と手軽の天秤は古くからのテーマでもある。一八七〇年代にスワンプルートという特許薬が流行したのも、一九〇〇年にイーストマン・コダック製の画期的なブローニー・カメラの第一号が世に出たのも、一九二四年にクラレンス・バーズアイが冷凍食品を開発したのも、この同じコンセプトで説明できるはずだ。

この奥深いコンセプトは、ビジネスにたずさわる人々が戦略や商品やサービスについて議論する際に、新しいフレームワークとして使えるはずだ。上質さと手軽さのトレードオフを知っておくと、CEOがどのR&D（研究開発）プロジェクトを承認するかを決めるうえでも有益だろう。マーケターが既存商品のポジショニングを判断するのにも、経営陣が低迷事業を立て直す方法を探るのにも役立つと考えられる。

上質と手軽の天秤というコンセプトは、何十もの企業への取材から生まれたものだ。コダックのベティ・ヌーナン副社長はこれを、「生きた意思決定ツールですね。だから高く買っているのです」と評した。ビジネススクールでは、二次元のグラフを描いてその右上を目指して事業を舵取りするように、などと教えるのが定番になっているが、「上質と手軽の天秤」はそれに取って代わろうとするものである。じつのところこの意思決定モデルは、一般には望ましいとされてきた右上の位置を目指すと、つまり上質さと手軽さの二兎を追うと、自社の墓穴を掘ることになりかねないことを示している。二〇〇七年から二〇〇八年にかけてのスターバックスの状況はこれを地で行ったものだ。

アマゾンの創業者ジェフ・ベゾスがこの天秤の意義について語った言葉は、まさに至言である。私たちは二〇〇八年にニューヨークで会い、アマゾンの電子書籍リーダー、キンドルの位置づけと関連させながら、ベゾスが直面する二者択一《トレードオフ》について一時間ほど語り合った。そのなかでベゾスは、「上質と手軽の天秤」というコンセプトの本質的な意義を指摘した。多くの人々が直感では理解していても、理屈でとらえることも言葉で表現することもできずにいるビジネス現象を、的確に表したものだというのだ。このコンセプトをもとに議論を深めれば、企業と人々が手をたずさえながらよりよい判断を導き出せるだろう。

このコンセプトは景気のよしあしにかかわらず有益なはずだ。本書をいよいよ書き終えようかというころ、世界の景気は後退へと向かった。経済が厳しい局面にあるときは、企業にとって失敗が非常に高くつくため、上質さと手軽さをどう天秤にかけるかがいっそう重要性を増す。一方、経済が勢いよく拡大しているときは、潤沢な経営資源が新しい商品やサービスにつぎ込まれるため、ここでもこのコンセプトを活かす余地がある。二者択一《トレードオフ》は、景気のよしあしにかかわらずつねに行われているのだ。

第1章 上質か手軽か

私たちは毎日の暮らしのなかで、何かにつけて上質さと手軽さを天秤にかけている。野球の試合をテレビで観るか、それともスタジアムへ行って観戦するか。電話をかけるか、あるいは相手と膝を交えるか。マクドナルドでファストフードを注文するか、レストランで気の利いた食事をするか。ノイズキャンセリング機能のあるボーズのヘッドセットに三〇〇ドルを出すか、音楽プレーヤーについてきた安手のイヤホンで我慢するか——。企業、非営利団体、政府なども、購買判断にあたってはこれらと似た選択をしている。

以上のような選択が市場でどう行われるかこそが、言い換えれば上質と手軽の天秤がどう振れるかこそが、おびただしい数のビジネスの成功と失敗を解き明かすカギである。

商取引が考案されてからこのかた、人類はいつの時代にも上質さと手軽さを天秤にかけてきた。しかし、現在ではテクノロジーの働きによって、この営みを取り巻く環境の移ろいやすさが増している。

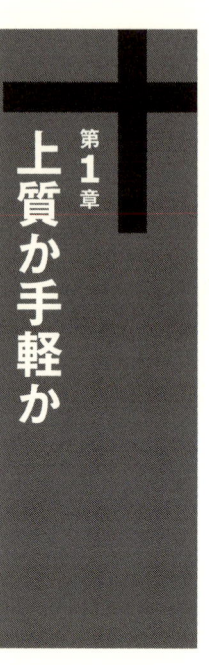

「上質と手軽の天秤」を考えるにあたっては、大まかに述べて以下の五つのコンセプトを押さえておく必要がある。

上質vs手軽 上質さとは断片的なものではなく、経験全体を指す。ロックコンサートを例にとるなら、サウンドそのものの質だけでなく、会場で展開されるすべてを包含している（サウンドの質だけならえてして、家庭のステレオでCDを聴いたほうがよいくらいだろう）。アーティストたちが目の前で演奏する姿、照明や効果、まわりの観客たち。そして、ザ・フーやコールドプレイのライブに行ったのだと、あとから知り合いに自慢すること。これらすべてが極上の経験をつむぎ出す。

手軽さとは、望むものの手に入りやすさ（あるいは手に入りにくさ）の度合いを表す。すぐに手元に届くかどうか、実行しやすいか、使いやすいか、いくらかかるか、などが焦点になる。安価なもののほうが、多くの人々が手を伸ばせるため、当然ながら手軽だといえる。音楽の例では、iTunesから楽曲をダウンロードするのは手軽なことこのうえない。好きな時にいつでもダウンロードでき、操作が簡単で値段も安い。その反面、極上とは言いがたい。同じ楽曲でも、音楽情報量は一般にCDの一〇分の一にすぎないのだ。

消費者は絶えず上質さと手軽さのどちらか一方を選び取っている。ときには、万難を排してでもU2のコンサートに出かけるだろう。文字どおりかけがえのない経験だからだ。とはいえ、日ごろはその対極にある手軽な選択肢に甘んじ、ポケットに入れたデジタル音楽プレーヤーでU2の曲を聴くのである。

ただし、上質か手軽かをめぐる私たちの選択は、傾向が一定しているわけではない。状況に応じて揺れ動き、刻々と移り変わる場合もある。しかも、自由に使えるお金や時間の多寡、年齢層などによって優先順位、ひいては選択の中身が異なってくる。

テクノロジーの進歩　テクノロジーの進歩は上質さと手軽さの両方を着実に押し上げていく。テクノロジーやイノベーションの力によって、今ある極上の商品やサービスも、すぐに極上ではなくなってしまうおそれがある。同じことは手軽さにも当てはまり、時とともに基準が変化していくのだ。上質と手軽の天秤をめぐっては、一定不変の要素などありはしない。

不毛地帯　上質さと手軽さ、どちらも秀逸ではない商品やサービスは、「不毛地帯」に追いやられかねない。消費者にどっちつかずの経験しか提供できないのだ。不毛地帯には冷めた空気が充満している。そこそこの質の商品やサービスは誰の心をも揺り動かさず、何となく手に入りやすいというにすぎない。これこそがまさに映画館の現状である。音楽CDの売れ行きが低迷しているのも同じ原因による。テクノロジーの進歩に合わせて上質さや手軽さのハードルが高くなっていくため、それにともない、不毛地帯も拡大したり境界が引きなおされたりする。商品やサービスは、テクノロジーの発展に見合った改善がなされないかぎり、広がりゆく不毛地帯に呑み込まれる運命にあるだろう。

幻影《ミラージュ》　多くの企業の期待とは裏腹に、上質さと手軽さの両面で卓越するのは不可能なようだ。この双方を満たす状況には心くすぐるものがあり、「そこにたどり着ける、そうすれば素晴らしい繁栄を謳歌できるだろう」と期待をかける企業もある。だが現実には、二兎を追う企業や商品は幻影を見ているにすぎず、経営資源や時間をムダにした挙げ句に迷走するだろう。スターバックスや高級ブランド品を手がけるＣＯＡＣＨはこの路線を目指して失速した。

上質の頂点と手軽の頂点　これらは勝ち組になる条件である。ヒット商品のほとんどは、上質か手軽かのどちらかで他を圧倒している。アップルは、極上のｉＰｈｏｎｅをひっさげて携帯電話市場に殴り込みをかけ、値が張るうえになかなか手に入らないにもかかわらず、たちどころに人々のハートをつかんだ。ウォルマートは、日用品をどこよりも手軽に安く購入できる場を提供して、小売業界のリーディング企業の座を手にした。価格の高いｉＰｈｏｎｅは簡単には手に入らなかったし、ウォルマートでの買い物はお世辞にも極上の体験とはいえない。しかし、そんなことは問題ではない。どちらかひとつの軸で一番になれば市場に君臨できるのだ。

以上のほかにも、注意を払うべき大切な要素が二つある。

社会的価値　人とのつながりや自分の個性は、私たちにとって何より大きな意味を持つ。上質さ、手軽さをめぐるほかの条件がすべて同じ場合、社会的側面を加味することで商品やサービスへの期待度は変わってくる。だからこそ、ティーンエイジャーは携帯電話の着メロに三ドルも支払う一方、九九セントでｉＴｕｎｅｓから一曲まるごとダウンロードできるのに、「高い」と口を尖らすのだ。ｉＰｏｄに取り込んだ楽曲は自分ひとりで楽しむだけなので、社会的な価値はない。他方着メロは、電話をかけてきた相手に自分の音楽の好みを伝えてくれるため、大きな社会的価値を持つ。このような社会性を持つモノやサービスは人々を惹きつける。

市場の破壊と創造　ときとして、新しい商品やサービスが従来の市場を壊してまったく新しい市場を創造し、上質さと手軽さをめぐる人々の選択を一変させる場合がある。たとえば、産声をあげてまもないころのデジタルカメラは、他ブランドのデジタルカメラだけでなく、フィルムカメラとも競合関係にあった。ところが二〇〇〇年代に入るころには、フィルムカメラ市場をすっかり吹き飛ばし、上質さで勝負するハイエンド、手軽さで勝負するローエンド、両方の機種が牽引するまったく新しいデジタルカメラ市場を生み出していた。フィルムカメラはどうかといえば、ほとんどの消費者にとって上質でも手軽でもなくなり、不毛地帯に埋没してしまった。

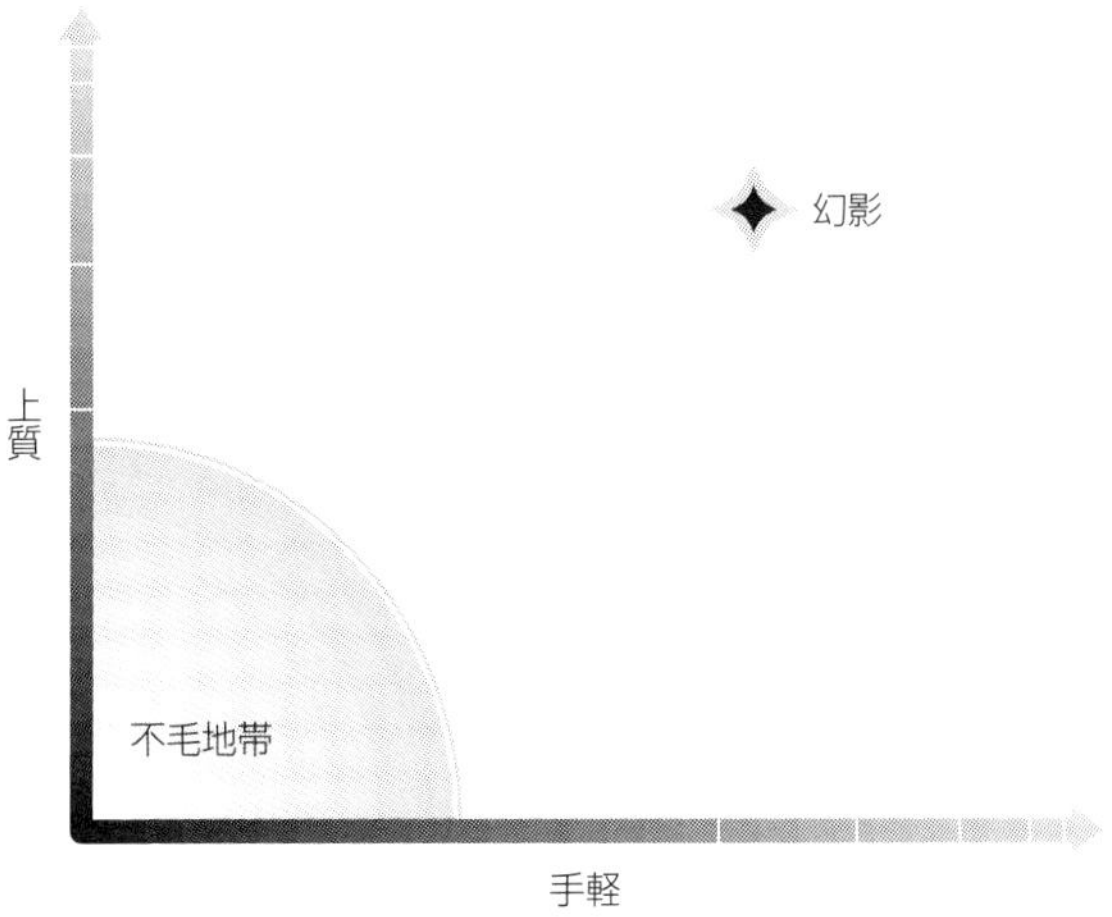

上質か手軽か。このどちらかをとるという発想は、ビジネス、さらには生活上のさまざまな事象を理解するための新たなレンズになる。両者のトレードオフを実感するためには、グラフ化してみるのも一案である。

上質さで最高峰に位置する商品やサービスは手軽さには乏しいかもしれないが、それはそれでかまわない。手軽さを重視する顧客は上質さを求めないからだ。同様に、手軽さの面で抜きん出た商品やサービスには上質さはさほど求められない。じつのところ、高い人気を誇る商品やサービスはたいてい、きわめて手軽だが極上とはいえないか、極上だが手軽とはいえないか、どちらかの傾向がある。

上質さ、手軽さのどちらをとっても月並みなようでは、行き着く先は不毛地帯しかない。ブランドのビジョンがぼやけていて、消費者のハートに訴えかけないのだ。

グラフの右上に位置するのは幻影《ミラージュ》である。あとから詳しく説明するが、幻影を追い求めるのは無駄骨というものだ。上質さと手軽さのトレードオフが働くと、「スター・トレック」でおなじみの目に見えないトラクター・ビームのような力によって、幻影を目指そうとする動きはことごとく不毛地帯へと誘導されてしまう。

上質と手軽、両軸の先端には矢印がついているが、これはテクノロジーの進歩を表したものだ。テクノロジーの力によって、上質と手軽の基準は着実に上昇していく。これに順応しない商品やサービスは基準を満たせなくなり、やがては不毛地帯へと転落する。

アマゾン、NFL、IBMは同じ原理で成功を手に入れた

上質と手軽の天秤というコンセプトは、具体的な商品や事業をとらえなおすのにどう役立つだろうか。本の購入を例に見ていきたい。

本を買ううえで極上の経験をもたらすのは、人々が何としてでも訪れたいと憧れを抱く、奇抜な個性と優れた経営で知られる独立系の書店、具体的にはデンバーのタッタードカバー、ワシントンDCのクレイマーブックス、イリノイ州ウィネトカのザ・ブックストールなどである。これらはいずれも、ありきたりの書店とは一線を画した社会的な価値のある場所なのだ。タッタードカバーで

本を買ったと誰かに話せば、趣味のよさを相手に印象づけることができ、あなたの株が少しばかり上がる。これらの独立系書店が、大手の書店チェーンからの圧力に屈することなく繁盛しているのは、「特別な場所」だからである。

手軽さの点ではアマゾンが群を抜いている。本について調べ、注文し、実物を手にするうえでは、アマゾンを利用するのがこのうえなく便利なのだ。自宅から一歩も出る必要がないのだから。アマゾンは、読者レビュー、ワンクリック注文、高い割引率、無料配送などを武器に、オンライン小売店として最大の売上を誇っている。これはほかを寄せつけない手軽さがもたらした勝利である。

では、ほかの書店は、上質さと手軽さという軸で見た場合、どのあたりに位置するだろうか。手軽さが売りのウォルマートは本も扱っているが、店舗に足を運ばなくてすむアマゾンには太刀打ちできない。他方、バーンズ・アンド・ノーブルやボーダーズは手軽さよりも上質さを強みとしているが、大手チェーンであるため「そこでしか味わえない経験」までは演出できず、おそらくタッタードカバーのような独立系書店と比べると勝ち目が薄い。それでも気持ちよく本を買える場所ではある。

個性に乏しい小ぶりの書店は、不毛地帯に埋もれているせいもあって風前の灯である。品揃えではアマゾンや大手チェーンにかなわず、かといって独特の雰囲気にも欠けるため、十分な顧客層を築けない。しかも、すぐ近くに住む人々にとってはべつとしても、手軽さでアマゾンやウォルマートと肩を並べられるわけもないのだ。消費者は、極上の経験を手に入れるためなら手軽さにこだわらないだろう。手軽さが実現するなら、ほかの面には目をつぶるという人々も少なくはないはずだ。だが、不毛地帯にくすぶる商品やサービスは、いずれに関しても顧客の心を揺さぶることはできない。

上質と手軽の天秤の具体例としてもうひとつ、テレビのスポーツ番組をあげておきたい。

アメリカのテレビ・スポーツ番組のなかで別格なのは、プロ・アメリカン・フットボール（NFL）の試合中継だろう。番組の完成度は申し分ない。クローズアップ映像、ツボを押さえた解説、決定的場面の迅速なリプレイなどの恩恵により、さまざまな意味で、スタジアムで観戦するよりも試合運びがよくわかるのだ。アメフトの試合をテレビで楽しむことには社交上の意義もあり、これは野球やバスケットボールなどほかのどのスポーツにもない、アメフトならではの醍醐味である。ファンはわざわざ暇をつくったり、仲間たちと誘い合わせたりして、試合が中継される時間にはテレビの前に陣取る。週明けには職場でも試合の話に花を咲かせる。このような現象すべてがテレビでのアメフト観戦を極上の経験にしており、アメフトのテレビ中継の人気ぶりは疑いようがない。

これと対極をなすのが、手軽さが売りのESPNである。ESPNは、試合速報やハイライトシーンに始まり、モトクロスやバス釣りといったマイナーなものにいたるまで、ありとあらゆるスポーツについて二四時間休みなく報じている。ただしESPNはNFLの試合中継とは違い、極上体験とはいえない。チャンネルを合わせるまでその時々の放映内容はわからず、観たからといって社交に役立つわけでもない。それでも、スポーツ番組を観てさえいればご機嫌な人々にとっては、これほど便利なものはない。チャンネルを合わせるだけでいつでも望みがかなうのだから。

アイスホッケーリーグ（ＮＨＬ）の試合の視聴率はひどく低迷しているが、それはひとつには不毛地帯に陥っているからだ。まず、ＮＨＬの試合中継は映像面で上質とはいえない。アイスホッケーでボール代わりのように使う円盤《パック》は、小さすぎて家庭やバーのテレビ画面では見えにくい。選手の動きやスピードをテレビカメラでとらえるのも難しい。番組の完成度もいまひとつのきらいがある。アイスホッケーはドル箱ではないため、予算の少ない放送局は制作費を絞り込み、それが低視聴率に跳ね返る。しかもアメリカではＮＨＬの試合を観ても、ＮＦＬとは違って社交面の意義もほとんどない。会社の休憩室で話題にのぼるようなスポーツではないのだ。

ＮＨＬのテレビ中継は手軽ともいいがたい。多くの地域では無名に近いケーブルテレビ局だけが扱っており、ＮＨＬチームの地元以外ではえてしてまったく放映されないのだ。どうしても観たい場合は自分であれこれ手を尽くすしかない。このようにＮＨＬのテレビ観戦は、人気スポーツと比べて上質さと手軽さの両方で劣るのである（ＮＨＬの視聴率を上げる方法については本書の後半で詳しく述べる）。

このような頭の体操は、どの業界や市場セグメントについて考える場合にも有益である。ただし、課題をもたらす。企業の側では、どの市場で戦うかを判断しなくてはいけないのだ。あなたがＮＨＬの経営責任者で視聴者に思いをめぐらせているとしたら、自分たちは「テレビのスポーツ中継」という分野で戦っており、野球やポーカーの試合と視聴率競争をしていると考えるだろうか。

それとも、気軽なスポーツファンではなく、筋金入りのアイスホッケー・ファンの注目だけを引くのが狙いだろうか。どの市場を主戦場とみなすかによって、NHLが上質さと手軽さのトレードオフにどう対処すべきかは変わってくる。

自社の商品やサービスがどの分野に属するかをめぐっては、各社とも何十年にもわたって議論をつづけてきた。一九五二年、司法省は反トラスト法違反のかどでIBMを訴追しようとした。その主張は、IBMがパンチカード機械——これは当時、現在のコンピュータのような役割を果たしていた——の市場を独占している、というものだった。これを受けてIBMのトーマス・ワトソンCEOは、司法省との会議に、先方とは一八〇度異なる見解を示す図表をたずさえて臨んだ。その図表には、会計業務にまつわる法人需要を網羅する市場がピラミッド状に描かれていた。最底辺は「エンピツと帳簿」、真ん中の層は「加算器、転写機、銀行の窓口担当者が使う入出金用機械」、そして、いちばん小さい最上層の三角の部分に「パンチカード機械」と書いてある。司法省はIBMを独占企業とみなしていた。ところがワトソンの見方では、IBMは全米の会計業務用機械のわずか一六%ほどを占めるにすぎなかった。パンチカード機械の市場だけを競争の舞台とみなすなら、IBMがあまりに強大であるため、顧客にとっては「上質か、手軽か」という基準で商品を選ぶ余地などなく、IBM商品を使うしかなかった。ところが、会計機械全体の市場を視野に入れるなら、IBM製の最先端の商品ではなく、質は劣っても使い勝手のよい加算器を選ぶ道もあったのだ。

事業の分類をじっくり考えるといくつもの発見がある。自社の事業の本質は何か、真の競争相手は誰か、顧客はどのような比較や選択を行っているのかが、見えてくるのである。

⋆⋆⋆

「上質か、手軽か」をテーマにしたコラムをUSAトゥデーに書いてから何カ月かののち、私のもとに、ノースカロライナ州障害者雇用促進センターのワシントン事務所長ダニエル・スティーブンスからメールが届いた。スティーブンスの組織は障害者に地元での職を紹介することを使命としている。これは容易な仕事ではないが、スティーブンスは上質さと手軽さのせめぎ合いをめぐる私の記事を読み、障害者によりよい支援を提供する方法についてひらめきを得たという。

私がメールの内容を補足するために電話をかけたところ、彼はこう語ってくれた。「顧客の情に訴えかけようとしても効果はありません。私は研修を受け、障害者を雇うべき理由を雇用主にどう説明すればいいか、その勘どころをいろいろと教わりましたが、どれもみな売り込みを主体としたアプローチでした。ところが、先方の経営者やマネジャーに、どういった人材を求めているかとたずねるわけではないのです。これをたずねれば、望ましい人材像を語ってくれるのでしょうが」。スティーブンスの事務所は、要望にぴったりの人材を紹介できない場合も珍しくない。それでも、上質か手軽かという観点から自分たちの抱えるジレンマを見つめたところ、「理想と現実との関係は上質さと手軽さの関係に重なり合うと、ふいに思いあたったのです」と言う。

「理想的な」働き手とは、いわゆる「質の高い」人材である。ところがそういう人材は見つけるのが難しい。つまりは手軽に集めることはできないのだ。たいていは、長い時間をかけて探したり、面接をしたりしないと発掘できない。そのうえ、入社してもらうにも、つなぎとめておくにも、相場よりも高い報酬が必要になる。他方、「現実的な」働き手とは、すぐに勤務を始められる人材である。雇用主が望みそうな技能をすべて備えていなくても、「十分な」見込みがあって、人手不足の折りにすぐに空きポストを埋める人材がいれば、採用する側のマネジャーからもおおむね感謝されるものだ。こう考えながらスティーブンスは、人材採用コンサルティング会社エンプロイメント・マネジメント・プロフェッショナルズのビル・サントスの言葉を思い出したという。「ビルは、カギを握るのはタイミングだと語ってくれました。折に触れて御用聞きに行くとよいと。なぜなら、皿洗いの担当者が辞めてしまったら、店長はすぐにでも代わりの人材を必要とするわけです。その場合、顧客にとっては手軽に採用できることがメリットになりますよね」。

スティーブンスは慎重な言葉づかいを心がけ、障害者は質の高い働き手にはなりえないなどという趣旨の発言は決してしなかったが、現実には、採用する側のマネジャーの多くは障害者を偏った目で見ている。スティーブンスの事務所が売り込む人材すなわち職を求める障害者は、顧客である企業マネジャーから見ると質の面で不安があるのだ。ところが、スティーブンスたちは手軽に採用できるという点を強くアピールしていなかった。このため顧客の側でも、障害者を雇うという手軽な選択肢に気づかずにいた。求職中の障害者は不毛地帯に取り残されていたのだ。上質さ、手軽さともに不十分だとみなされ、そのせいで雇い主から注目されずにいたのである。

スティーブンスは部下たちに、手軽さを訴求する新しい手法を用いるよう働きかけた。人手不足に即応できる人材のあっせん機関へと脱皮して、顧客に「すぐにでも働き始めることのできる、合格点をいただける人材を、すみやかにご紹介します」とアピールしたなら、上質でも手軽でもないというパッとしない状態から抜け出して、成果を高められるはずだ。

二〇〇八年の夏、私は新しい手法の効果のほどをスティーブンスにたずねた。彼からのメールにはこう書かれていた。「一年前にいくつかの事務所で新しいやり方を取り入れました。前年の実績と比べたところ、新しいやり方を実践した事務所では、人材の紹介件数が増えていました。しかも、この半年ないし四カ月ほどは、採用にこぎつけた件数も上向いてきています」。

このように、上質さと手軽さを対比させる発想は、人材紹介ビジネスでも活用されているのだ。

オジー・オズボーン「無料コンサート」の誤算

一方、このコンセプトは、スティーブンスの手がける雇用促進とは似ても似つかない分野での決断にも用いられている。ロック界のスター、オジー・オズボーンによる決断である。

イギリス生まれのオズボーンはバーミンガムのアストンで育ち、仲間のギタリスト、トニー・アイオミとともにバンドを結成した。彼らは当初、ポルカという民族舞曲にちなんだ「ポルカ・タルク」というバンド名も考えたが、ロックの歴史にとって幸運にも、やがてブラック・サバスという名称に落ち着き、一九七〇年代はじめにヒットを連発した。オズボーンはドラッグ中毒を理由に七九年にバンドを追われたが、これを転機にソロでの活躍を始めた。二〇〇〇年以降は、家族との生活を追ったリアリティ番組が人気を博したため、従来はまったく縁のなかった若い世代にも知られる存在となった。この間にオズボーンは、著名なヘビーメタル・バンドが参加するツアー・フェスティバル「オズフェスト」を開始した。オズフェストは、音楽ダウンロード・サービスがCDの売上を侵食し始める前夜にヘビメタ・ファンを虜にし、以後も人気はうなぎのぼりだ。これまでに累計で一億ドル超を売り上げている。二〇〇六年にはチケット価格は一二五ドルだったが、フェスティバルは開催するつど大盛況だった。

二〇〇七年はじめ、オズボーンは人気絶頂のオズフェストを無料化し、「フリーフェスト」に衣替えすると宣言した。コンサート・チケットの価格が上がりすぎたため、無料化をとおしてファンにお返しをするのだと。ということは、参加バンドに出演料を支払えなくなるのだが、バンドにはどう説明するのだろう。何千人もの人々の前で演奏をして聴き手のハートをつかめば、新たなファンが生まれてCDを購入してくれる――。もっとも、オズボーンはひとつ見落としをしたようである。オズフェストを楽しむ若者たちの多くは稀にしかCDを買わず、無償のフリーシェア・サイトからiPodに楽曲をダウンロードして聴くことも珍しくないのだ。

言葉を換えれば、オズボーンは上質さと手軽さを天秤にかける際に、まったくの考え違いをしたのである。消費者は、上質、手軽どちらかをきわめた商品やサービスに心を動かされる。音楽の世界では、大物アーティストが集結する夢の祭典に居合わせるのは、上質のきわみといえる体験だ。だからこそ、ファンは一二五ドルも支払ってチケットを購入する。一般にライブ演奏を聴くのは特別な経験である。その臨場感はほかでは決して再現できず、しかも社交面でも大きなメリットを生む。ジミー・バフェットは何年も前にこれを見抜いていた。バフェットは二〇〇七年に二五日間のコンサートを行い、チケットの平均単価は一三六ドルだったため、合計で前年の実績を三四%も上回る三五六〇万ドルを稼ぎ出した。ファンの大多数はおそらく、この数年というもの彼のCDを一枚も買っていないだろう。それでもコンサートには大挙して押し寄せ、おどけた扮装をして盛り上がるなどハチャメチャな光景を繰り広げる。

一言でまとめるなら、オズボーンにとってオズフェストは、極上の経験をファンに提供して収入を得るための仕組みだった。ところが彼は、無頓着にもべつの収入モデルへと乗り換えて、不毛地帯にはまり込んでしまったのだ。二〇〇七年に開催された最初のフリーフェストは、名だたるヘビメタ・バンドが出演して何千人もの観客を惹きつけたのだから、成功と呼べそうである。とはいえ各バンドは、ファンがわれ先にCDを買いに走るわけではないと知ったなら、フリーフェストに出演してもビジネス上のうまみは大きくないと気づくだろう。フリーフェストへの出演者はしだいに、ヘビメタ・ファンへの浸透を目指す無名バンドが占めるようになると思われる。出演バンドの知名度と音楽的価値が下がるにつれて、たとえチケットが無料であっても、わざわざ聴きに行こうとする人の数は減っていくはずだ。

第2章
取捨選択

ベゾスも気づいていないキンドルの死角

ジェフ・ベゾスは椅子に背中をあずけていた。(注1) 二〇〇八年夏、ニューヨークの会議室で向き合っていた時のことである。その一〇年あまり前にアマゾンを起業したころと比べると、目尻のしわが心持ち増え、髪はやや薄くなっていた。しかし、会社と仕事への熱い思いは少しも衰えておらず、これは今なお誰もが認めるところである。私が話を聞いたあの夏、彼は前年末に発表したばかりの電子書籍リーダー、キンドルをことのほか誇りにしていた。

キンドルの開発プロジェクトが動き始めたのは二〇〇四年だった。ベゾスと開発チームの主力メンバーは当時、稀に見るほどの長寿に恵まれたテクノロジー、すなわち紙の本にまつわる上質さと手軽さの問題を解き明かそうとして、数カ月を費やしていた。本はなぜ五五〇年ものあいだ、長文の説明、物語、情報などを人々のもとに届ける主な手段でありつづけているのか。電子書籍リーダーを世に出そうという試みはなぜ、ことごとく失敗したのか。その理由を見極めたいと考えていたのだ。

ベゾスは「キンドルなら過去の呪縛を解けるだろう」と手ごたえを感じていた。キンドルが不毛地帯行きになるかもしれない、うまく出口を探さなくてはいけない、などとは考えもしなかったようだ。「発売から半年間の売上は上々で熱いレビューが押し寄せています」とも語っていた。にもかかわらず、生まれてまもないテクノロジーの多くと同じくキンドルもまた、上質さと手軽さのどちらもきわめておらず、大きな市場を切り開くのは不可能そうに見えた。

キンドルの開発チームは、紙の本を詳しく分析する過程で上質さに着目した。「上質」という言葉こそ用いなかったが、本を読むという経験がなぜおおぜいの人々に大きな満足感をもたらすのか、解き明かそうとしたのだ。「本の匂いまで探ろうとしたものです」とベゾスは言った。「調べたところ、たいていは膠《にかわ》の匂いがするとわかりました。それと白カビですかね。半分は冗談ですが、キンドルにも同じ香りをつけるべきではないか、と話し合ったものです。なぜ膠や白カビの匂いが好まれるのかというと、書き手の世界に入り込んだような気分になれるからでしょう」。あれこれ試した末、紙の本より優れたものをつくろうとするのは「あまりに向こう見ずな挑戦だ」とわかったという。

何カ月にもわたって会議を重ねたあと、全員が「最も望ましいのは本の形跡を消すことだ」という意見で一致した。本の姿かたちを少しも意識せず、ただ言葉や考えを追う――そんな読書体験を演出するのである。形式と中身を切り離すのだ。ベゾスが説明する。「これがキンドルを設計するうえでの第一の課題になりました。本らしさを消し去ることがね。そこで今から三年前、キンドルという装置《デバイス》もやはり黒衣に徹して、読み手が中身に没入できるようにすべきだと結論づけたのです。同時に、従来の読書体験にはない何かを鮮やかに実現する必要があるとも判断しました」。開発チームは、紙の本と肩を並べるだけでは十分ではない、目に見えて優れたものを実現しなくてはいけないと考えていた。さもないと、紙の本を手放してキンドルを使ってみようと思う人はなかなか現れないだろう――。

こうして何やら謎めいたデバイスができあがった。第一世代のキンドルはイーインク社の電子ペーパーを使用しているため、文字が紙の上に刻印されているように見え、スクリーン上に表示されているという印象は受けない。重さおよそ二九二グラム、スクリーン幅一五センチ少々とペーパーバックとほぼ同じ重さとサイズである。ページ間の移動がすんなりできるように、端にレバーがついている。ベゾスは外観に「本らしい趣」を添える努力をしたと語っており、おおむね狙いどおりの見栄えになっている。もちろん、膠や白カビの匂いはしないが。

よりよいものを実現して紙の本を打ち負かすために、アマゾンはキンドルにワイヤレス接続機能を持たせた。こうすれば、電子書籍、新聞、雑誌、ブログのコンテンツをいつでもどこでもダウンロードできる。「キンドルは装置というよりサービスなのです」とベゾスは言う。ワイヤレス機能があるため、利用者はスクリーン上でウィキペディアやオンライン辞書を参照でき、わからない言葉やコンセプトを調べるのも思いのままだ。余白に書き入れたメモは、キンドルはもとよりアマゾンのコンピュータ上に半永久的に保存できるという。キンドル第一世代の発売時、これに対応しておよそ九万タイトルの電子書籍が用意されていた。そのほとんどが、九・九九ドルだった。ハードカバーの標準小売価格よりはるかに安かったが、アマゾンでの実売価格と比べるとお得感はさほどなかった。ベゾスはキンドル対応の書籍を数百万タイトルにまで増やすことを目標としていた。

「これまでに活字になったすべての言語のすべての本の中身を、キンドルを使えば六〇秒で入手できるようにする。それが私たちのビジョンです」

キンドルは、上質さと手軽さの両面で紙の本を凌ごうとしているように見えた。ところが、その試みは込み入ったものになった。理由のひとつは価格である。当初価格は三九九ドルだったため、たいていの人々にとって手軽に買えるものではなかった。上質さの点でも中途半端だった。詳しくはあとから説明するとして、とにもかくにも、発売からほどなく売り切れになったとはいえ、初期の買い手は新しいものに目のない懐の温かい人々ばかりで、本の読み手の大多数とはかけ離れていた。上質vs手軽という切り口で見た場合、キンドルを爆発的に普及させるには、仕様やマーケティングの本質にまで踏み込んだ改良が欠かせないようだ。

上質さと手軽さのあいだにはおのずとせめぎ合いが存在する。これをよりよく理解しようとするなら、日ごろの生活のなかで人々の関心がいつ、どのようにして、なぜ、上質から手軽へ、手軽から上質へと揺れ動くのかを探ってみるといいだろう。

7 上質＝経験＋オーラ＋個性

最もシンプルに幅広くとらえるなら、上質であるかどうかは商品やサービスにまつわる経験全体によって決まる。

最高の経験、つまり、これ以上ないほど快適で深く心に染み入る経験をもたらす場合、その商品やサービスは上質をきわめたといえる。価格は二の次である。では素晴らしい経験とは何か、具体的に考えてみよう。大学教育を例にとりたい。一口に大学教育といっても、それを受けるにはさまざまな方法がある。学費、寮費、食費など合計で年に五万ドルをかけて一流私立大学へ通う。あるいは地元の地域大学《コミュニティカレッジ》の夜間コースで学ぶ。フェニックス大学のオンライン課程を受講する……。大学進学を希望する人々の多くは、一流大学に入るためなら割高な学費をもいとわない。教授陣との交流、キャンパス・ライフ、アメフトの観戦、気の合う仲間たちの輪などを求めるのだ。ハーバード、デューク、スタンフォードといった名門大学のキャンパスには、このうえなく上質な高等教育とそれにふさわしい経験が用意されている。

どの分野でも極上は実現できる。メンズスーツを考えてみたい。極上の名に値するのは、腕利きの仕立屋《テーラー》が手がけたオーダーメードだろう。自分にぴたりとフィットする望みどおりの仕上がりはもとより、採寸、布地選び、テーラーとのやりとりなど、注文から完成までの経験すべてが満ち足りたものなのだ。次に携帯電話はどうだろう。二〇〇八年の時点で最高の携帯電話といえば、アップルのiPhone 3Gだった。他の追随を許さない美しさと機能性を兼ね備え、携帯通信と無線LANの両方にいち早く対応していた。価格も発売当初はおよそ六〇〇ドルと高く、最上位の一角を占めていた。対照的に、上質とは無縁の廉価モデルは、新規加入や機種変更をした顧客に携帯通信事業者から無償で提供されている。

極上アイテムが存在しないのは、生活必需品の分野だけだろう。一例として、極上の電力というものは容易には見つからないはずだ。

極上の商品やサービスはたいてい価格もひときわ高いが、これには例外もある。テレビでのスポーツ観戦を取り上げた際にも書いたように、上質さを求めるならNFL、手軽さを求めるならESPNである。ところが、NFLの試合がテレビのキー局で無償で観戦できるのに対して、ESPNはケーブルテレビや衛星放送をとおして有償でしか観られない。つまり、本書でいう上質さとは、「価格」ではなく「経験」にまつわるコンセプトなのだが、通常は、上質な経験には上乗せ価格がともなうのも事実である。

上質さというコンセプトはえてして、商品やサービスの特性のうち、見たり触ったり感じ取ったりできるものに関係している。その一方、「オーラ」と「個性」という、とらえどころがなく、ともすれば見過ごされがちな二つの要素によっても成り立っている。

ドイツ生まれの評論家ヴァルター・ベンヤミンは、一九三〇年代にとりわけ華々しく活躍し、三六年に発表した評論『複製技術時代の芸術』でオーラについて説いている。(注2)近年では、楽曲をデジタル複製してネット上でタダ同然で共有できる状況のもと、音楽の真の価値をめぐる議論が学界で展開されており、その際にしばしば引き合いに出されるのがベンヤミンのこの評論なのだ。ベンヤミンは、美術、音楽、言葉、画像、映像のデジタル化が実現していなかった時代に、「芸術作品、とくに絵画が、機械によってほんものと見分けがつかないほど精巧に複製される時代がやがて訪れる」と予見していた。そして、見分けがつかないにもかかわらず、なぜもとの作品が複製よりも大きな価値を持つのかと思索したのだ。仮に絵画の価値がすべて鑑賞にまつわるものであるなら、いかにオリジナルといえども、見た目に違いのない複製と同一の価値しか持たないはずだろう。だが、オリジナル作品は目に見えない価値をも宿している。画家や作品の文化的意義などへの畏敬の念を呼び起こすのだ。このような力をベンヤミンは「オーラ」と名づけた。昨今の音楽シーンに話を戻すと、CDやネット上の複製音楽は少しもオーラを発していない。オーラをともなうのはライブ演奏だけである。だからこそ、一五ドルのCDには手を出さない人々が、ライブのチケットには五〇ドル、一〇〇ドルという金額を支払うのだ。アーティストが楽曲を奏でる生の姿をまぶたに焼きつけ、そのオーラに包まれるという経験は、それほど格別なのである。

オーラの威力によって上質感が増す例は数多い。ハーバードなどの名門大学もオーラを発している。あつらえもののスーツも同じだ。ロンドンのセビル通りのような高級テーラーが集まる地域や、名だたるテーラーでつくったスーツは、とりわけ強いオーラを放つ。著者のサイン本もしかりだ。iPhoneは大量生産であるにもかかわらず、発売直後の数カ月は入手が困難をきわめたため、やはりオーラをまとっていた。その後、品薄が解消されるにつれてオーラは薄れていった。もっとも、分野によってはオーラが入り込む余地はほとんどない。コンビニチェーンはどこも、人々を惹きつけるオーラとは無縁である。

オーラは、印象やマーケティング効果だけで成り立つ場合もある。いわば実体のない上質感である。近くにもっとおいしい店がいくつもあるにもかかわらず、一軒だけが「いけてる」と受け止められることもある。上質感をめぐって興味深いのがモンスター・ケーブルの事例である。オーディオ用ケーブルを製造するモンスターは、超高級ブランドを自任してそれにふさわしいマーケティングを展開している。相場が二〇ドルの品種は、モンスター製なら六〇ドルはするだろう。人気が高いのは、消費者のあいだに「モンスター製ケーブルのお陰で優れたサウンド・クオリティが得られる」という信仰があるからだ。ところが、エンガジェットというウェブサイトが自称オーディオマニアを対象に覆面調査を行ったところ、同一のアンプとスピーカーをモンスター・ケーブルと廉価ケーブルでつないだ場合のサウンドの違いを、「マニア」たちは聞き分けられなかったという（注3）。

上質感は強力なマーケティング・ツールになりうるが、実を伴わない以上は長つづきしにくい。「いけてる」レストランも、上質感を漂わせるモンスター・ケーブルも、消費者から飽きられたり、誇大宣伝だと見破られたりすれば、たちどころにオーラを失うのだ。

上質さを構成する要素のうち、もうひとつ見落とされがちなものに個性がある。私たちが消費者として何かを購入するのは、えてしてほかの人々に自分らしさを伝えるためでもある。上質な商品やサービスを選ぶ時はとりわけこの傾向が強い。自分ならではの個性や持ち味を人々に伝えてくれるなら、つまり、まわりから「輝いている」と見られるのに役立つなら、そのような商品やサービスを私たちは上質とみなすのだ。

ハーバードに代表される有名大学が学生や卒業生にもたらす上質感も、言うまでもなくこのような要因によるところが大きい。どの大学に通ったかは私たちの個性の一部をなし、人となり、経歴、世の中での位置づけなどについて多くを物語る。「ハーバードの出身です」と自己紹介できることは、多くの人にとっておそらく、実際にハーバード大学に在籍した経験よりも大きな価値を持つだろう。ハーバード大学に学ぶことがたとえばペンシルベニア州立大学に学ぶことと比べて特別な経験をもたらすとしたら、それは「箔づけ」に負うところが大きいといえそうだ。

この個性というコンセプトは、じつにさまざまな商品やサービスに広く当てはまる。あつらえもののスーツが上質なのは、着る人に貫禄をもたらすからでもある。反対に、メンズ・ウエアハウスの出来合いのスーツを身につけても、風采が上がるわけではない。二〇〇七年あるいは二〇〇八年にiPhoneを持っていれば、最先端のテクノロジーを真っ先に利用する「目利き」であると一目置かれたものだが、サムスン製のタダ同然の携帯電話では決してそんなふうには見られない。自動車メーカーが承知しているように、消費者のクルマ選びは、燃費やトランクの大きさなどの実利面だけでなく、自分に合うか、自分らしさを引き立ててくれるかどうかによっても左右される。個性を際立たせるうえでことのほか大きな役割を果たすのは、アパレルや靴だろう。洒落た新ブランドのスニーカー、デザイナーズ・ブランドのジーンズ、お気に入りのブランド名が大きく描かれたTシャツなどだ。個性の表現につながればつながるほど、そのアイテムはあなたにとって上質なものだといえる。

CDなどの録音よりもライブ音楽に多くのお金を払ってもよいと考えるのも、ひとつには個性の表現につながるからである。お気に入りバンドの楽曲をダウンロードしたり、CDを購入したりしても、自分の個性をアピールできるわけではない（たしかに、発売されたばかりの人気CDを大音量でかけながら、友人のかたわらをクルマで通り過ぎれば、多少は存在感を示せるだろうが）。他方、コンサートに出かければ強く個性を打ち出せる。ケース・ウェスタン・リザーブ大学で音楽史の教鞭をとるメアリー・デイビスは「（コンサートに参加するだけで）そのアーティストとのつながりが生まれるのです。ファンの輪の中に入るわけですからね。これは自分らしさの表現といえます」と述べている。(注4) コンサートに足を運んだ人々は、その経験をのちのちまでまわりに語る。「ザ・クラッシュのライブを聴いたことがあるんだ。一九八一年、ニューヨークのブロードウェイでのコンサートだった」と言えば相手は目を見張るだろう。こうした効用もまたライブ音楽の価値を高める一因である。

さて、アマゾンのキンドルに話を戻したい。キンドルには個性の発露につながる大切な何かが欠けている。本は読む人の個性を映し出す。あなたが機内や病院の待合室で手にしている本は、周囲の人々に一定の印象を与える。人柄や趣味のよさをそれとなく伝える本を持っていれば、望ましい印象を生むことができる。オフィスや自宅のリビングの書棚に並ぶ本も、あなたの人物像をつむぎ出すうえで重要な役割を果たす。どういった本をひもとき、購入し、書棚に飾るか。これらもまた、全体としてあなたの個性をまわりに伝える役割を果たす。このため、装丁や判型などの外観は本の上質感を大きく左右する。これらは、キンドルの主な対象層である熱心な読書家にとっては、とりわけ大切な点である。飛行機のなかでキンドルを使って読書をしても、あなたがどんな本を読んでいるかは誰にも伝わらない。「書棚」はアマゾンのコンピュータ上にしかないのだ。この情報をオンライン上で人々に知らせるのはおそらく不可能ではない。アマゾンは、キンドルで読んだ電子書籍の一覧を、たとえばフェースブックの経歴情報へ転載するような、気の利いたはからいを拒みはしないだろう。それでもやはり、たいていの読書家にとって、上質さという切り口で見た場合、仮想の書棚は現実の書棚に遠くおよばないのだ。すべては、個性の発露につながるかどうかのちがいである。

経験、オーラ、個性。この三つの足し算によって上質度は決まる。

手軽＝入手しやすさ＋安さ

「手軽」とは簡単に手に入るという意味である。

二〇〇五年ごろからこのかた、楽曲を簡単に購入するにはｉＴｕｎｅｓとｉＰｏｄを使うのがいちばんである。これにはさまざまな理由がある。ひとつには、店舗がネット上にあるため、いつでもどこでも、好みの曲がよりどりみどりなのだ。つまり、入手のしやすさは手軽さの条件なのである。この点だけを見ても、ｉＴｕｎｅｓは街のＣＤショップよりも手軽だといえる。もっとも、使い勝手が悪かったり、操作が難しかったりしたら、この優位性は存在しないかもしれない。突き詰めれば、手軽かどうかは望む結果をどれだけ簡単に得られるかにかかっているのだ。

現実にはｉＴｕｎｅｓもｉＰｏｄも、これ以上ないほど簡単に使えるようにできている。楽曲をＰＣ上のｉＴｕｎｅｓプレーヤーにダウンロードしてｉＰｏｄへ保存するという一連の操作が、ほぼ自動化されているのだ。ｉＴｕｎｅｓプレーヤーやｉＰｏｄへの保存さえ終われば、あとは楽曲を聴く手間はＣＤをプレーヤーに差し込むのと変わらない。ただし、ｉＰｏｄを用いるとＣＤ数百枚、いや数千枚にも相当する楽曲をポケットに入れて持ち運べるため、ＣＤよりもはるかに手軽である（アップルは、ｉＰｈｏｎｅで上質を、ｉＰｏｄで手軽をそれぞれきわめ、一社で両方を実現できることを実証している）。

商品やサービスの手軽度はまた、望む結果につながりやすいほど、つまり便利であるほど高まる。食事のしたくを例にとるなら、電子レンジ食品は調理に手間がかからないため圧倒的に手軽である。パッケージから取り出して電子レンジで何分か温めるだけだ。シンプルだから失敗のおそれがなく、時間もかからない。文書コピーの分野では一九六〇年代、ゼロックス製の複写機がかつてない手軽さを実現した。スタートボタンを押せば、たちどころに期待どおりのコピーが仕上がり、手が汚れる心配もない。タイプライターで作成した文書をカーボン紙で複写したり、謄写版で同じ文書を何部も作成したりするのとは、雲泥の差だった。

ただし、使い勝手がいいだけで競合を引き離せるかというと、そうともかぎらない。手軽かどうかは、もうひとつの大切な要因にも左右されるのだ。おそらく多くの人にとって意外だろうが、価格である。

価格こそ手軽さを実現する切り札ともいえる。理由はいたって単純だ。安ければ、たいていの人にとって手が届きやすい、つまりは手に入れやすいのである。一五ドル払ってCDをまるごと一枚買ったり、一五〇ドルをはたいてコンサートに行ったりするよりも、九九セントでお目当ての一曲だけをダウンロードするほうが、懐が痛まず買いやすい。サウスウエスト航空は、競合他社よりも運賃を低めに設定して座席を埋める戦略をとっており、これによって空の旅は多くの人にとって身近で手軽なものになっている。

ところで、「手軽さに対してお金を払う」という表現には語弊がある。たとえば、会議のためにマンハッタンの端から端まで移動しなくてはならないとしよう。私の考えでは、何より手軽なのは歩くことである。タクシーや電車を待つ必要も、お金を払う必要もなく、ただ脚を動かせばよいのだからしごく簡単だ。一般には、タクシーやハイヤーを呼んで目的地まで送迎してもらうほうが手軽だという印象があるかもしれないが、じつはこれは、上質で贅沢な選択肢である。運転手つきのクルマに乗る快適さと引き換えに上乗せ料金を支払うのだ。目的地にたどり着くまでの経験をはるかに心地よいものにするために。私たちが「手軽さに対してお金を払う」という場合、ほんとうのところは上質さを買っていることが多い。

簡便性と経済性。この二つを足し合わせると、商品やサービスがどれくらい手軽であるかがわかる。日用品全般のショッピングはウォルマートのお陰で手軽になった。ここかしこに店があり、安い商品で埋め尽くされている。ウォルマートは超手軽な小売の世界に君臨しているのだ。高等教育の分野では、フェニックス大学が通常の何分の一かの学費でオンライン課程を設け、手軽な高等教育の雄となった。音楽小売に関して手軽なのは断然アップルである（アップルを凌ぐのは、違法なダウンロードとファイル共有サイトでの交換だけであり、これらの利用量はiＴｕｎｅｓを上回っている）。結局のところ、望むものを最も簡単に手に入れる手段を消費者に提供すれば、その企業は無敵なのだ。これこそが手軽であることの威力である。

手軽な商品やサービスには個性やオーラが入り込む余地はほとんどない。視点を逆にしてもたいていは同じである。手軽を売りにした商品やサービスは個性やオーラに欠けるのだ。ウォルマートを考えてほしい。ウォルマートで買い物をしたからといってオーラは露ほどもまとえない。自分の株を上げようとしてウォルマートでのショッピング経験を吹聴する人など、まずいないはずだ。

アマゾンがキンドルの普及を目指すうえでは、手軽さという軸で勝負すべきだろう。上質さを争ったのでは紙の本に打ち勝つのは不可能そうだが、反面、新しいテクノロジーを活かせば手軽さを実現できる場合が少なくない。キンドルできわめて手軽な書籍を提供するのが、アマゾンにとって最善の戦略ではないだろうか。

テクノロジーとイノベーション

上質さと手軽さの追求に終わりはない。

テクノロジーとイノベーションの影響により、両方の水準が絶えず押し上げられるからだ。このため、今の時点でこのうえなく上質な商品やサービスを提供していても、やがて新しいテクノロジーやイノベーションをたずさえたライバルにより、トップの座を奪われるだろう。同じことは手軽さという軸にも当てはまる。上質さと手軽さの水準は時とともに向上し、消費者もそれぞれの基準を休みなく引き上げていく。どちらかの軸に沿って絶え間なく改善を積み重ねないかぎり、時流に取り残されてしまう。

一九二〇年代、映画の世界で上質をきわめたのは無声映画だったはずだ。三〇年代には、テクノロジーの進歩による水準向上を受けて、音楽やセリフの入った発声映画《トーキー》がこれに取って代わり、三九年にはカラー映画が王座につく。以後、サラウンド音響、次いでコンピュータによる特殊効果などのテクノロジーの進歩により、さらなる水準の向上がもたらされている。テクノロジーやイノベーションはまた、スキー、テレビ、カメラ、自動車ほかさまざまな分野で次々と新たなる上質を生み出してきた。キッチン用品、芝刈り機など、水準向上がゆるやかな分野もあるが、携帯電話のようにテクノロジー寄りの分野では、猛烈なスピードで上質の定義が塗り替えられていく。もっとも、テクノロジーとイノベーションの効果によって時とともに商品やサービスの水準が上昇していくのは、あらゆる分野に共通した現象である。

手軽さという軸に視点を移しても、やはり同じような傾向が見られる。文字でニュースを知るうえでは新聞が最も手軽な媒体だったが、やがてウェブの登場によってその座が揺らいだ。映画ＤＶＤをレンタルするには、ブロックバスターの店舗へ行くのが何より手軽だったが、そのうちにネットフリックスが郵送によるレンタルを始めた。街中から電話をかける最も手軽な手段も、公衆電話から携帯電話へと世代交代が起きた。現金を引き出すのも、昨今では銀行の支店で待ち行列に並ぶよりも、ＡＴＭ（現金自動預け払い機）を操作するほうが手軽である。アメリカの郊外や地方で買い物をするには、かつては雑貨店、玩具店、ベーカリー、電器店などをクルマで回るのが最も手軽だったが、ウォルマートがスーパーマーケットを出店してからは食料品と日用品が一カ所で揃うようになった。

テクノロジーの進歩はよどみなく起きる場合もあれば、断続的に生じる場合もある。ITの比重が大きい分野ほど、変化はよどみなくすみやかに進行するようである。

テクノロジーの比重が小さい分野では、何年ものあいだ凪のような状態がつづいたあと、突発的に変化が起きる可能性がある。具体例として家庭用野菜があげられる。

クラレンス・バーズアイは一八八六年にニューヨークのブルックリンで生まれたが、生家がロングアイランドに農場を持っていたためそこで多くの時間を過ごし、剝製づくりというニューヨーカーにはおよそ似つかわしくない趣味を得た。学生時代は、ネズミを捕まえては各種の研究所へ売って小遣い稼ぎをした。これがきっかけでアメリカ政府に動物の専門家として雇われ、シマリスのスープなど風変わりな肉料理の試作を手がけた。やがてカナダの北東端に位置するラブラドール地方に移り住み、イヌイットたちが魚を捕って氷上に放り投げると、その魚がたちどころに凍りつく様子を目の当たりにした。急速冷凍した魚を解凍したところ、風味や食感が新鮮なままに保たれていることがわかり、これがひらめきにつながった。

バーズアイは一九二四年、魚をドライアイスではさんで急速冷凍する実験を行ったあと、ゼネラル・シーフード社を興し、冷凍食品ビジネスに必要な技術や設備をひととおり設けた。冷凍技術、野菜を保存するための小売店用フリーザー、冷凍食品を鉄道輸送するための冷凍車などを開発したのだ。バーズアイはこの技術を野菜にも応用し、一九四〇年代には冷凍野菜の小売に乗り出した。

バーズアイが展開したのは上質さを軸としたビジネスである。かつてほとんどの家庭では、食卓にのぼるのは収穫期の野菜だけだった。旬をはずれた野菜を家庭で食べられるとすれば、よくてビン詰めあるいは缶詰めだったが、味はといえば新鮮な野菜にはおよびもつかなかった。バーズアイ・ブランドの冷凍食品は今ではすっかり身近になったが、初期の広告では高級品として謳われていた。ライフ誌の広告には、真珠をまとった女性がクッションにもたれかかってバーズアイのホウレンソウを食べる姿が描かれていた。「缶詰めのホウレンソウで我慢するのは、優雅さとは縁のない人々だけ」とほのめかしているのだ。バーズアイは家庭向け野菜の質を一気に引き上げ、食品業界全体に大旋風を巻き起こした。

愛されるか、必要とされるか

実業家テッド・レオンシスは哲学者のような一面を持ち合わせている。私が面識を得た一九九一年当時、彼は双方向型《インタラクティブ》マーケティング会社の草分けであるレッドゲート・コミュニケーションズを経営していた。インターネットが広く普及する以前から、ネットをマーケティングに活用する構想を温めていたのだ。レッドゲートは九三年、アメリカ・オンライン（AOL）の傘下に入った。成長街道を驀進していたAOLの買収先第一号となったのだが、この時レオンシスもAOL入りし、やがて社長まで務めた。AOLが最も輝いていた時期、スティーブ・ケース、ボブ・ピットマンとともにその舵取りをし、巨万の富を築いたのだ。九九年にはプロ・アイスホッケー・チーム、ワシントン・キャピタルズを買収し、二〇〇〇年以降はドキュメンタリー映画の製作にも乗り出したが、従来どおり新興テクノロジー企業への投資も手がけている。

レオンシスは私に、何を道しるべにしてこのような経歴を歩んできたのかを語ってくれた。「人々から愛されるか、必要とされるか。このどちらかの基準を満たさないかぎりビジネスは繁栄しない」という簡潔なスローガンをよりどころに、事業機会を見極めてきたのだという。(注5)

「愛されるか、必要とされるか」。この点をめぐるレオンシスとの数々の会話をとおして、私は上質さと手軽さをめぐる考えを肉づけすることができた。上質であるとは、突き詰めれば愛されるということだ（必要とされるとはかぎらないが）。デザイナーズ・ファッション、ロックコンサート、iPhone、ティファニーの宝飾、プラダのバッグ、ファーストクラスのフルフラット・シート……。これらはみな愛されはするが、まず必要とはされないだろう。上質だが手軽とはいえないのだ。

他方、手軽であるとは「必要とされる」と同義である。ウォルマート、電子レンジ、セブン－イレブン、低価格の家庭向けコンピュータはいずれも生活に欠かせない存在である（ここにもテクノロジーの進歩が表れている。ピュー・リサーチ・センターの調査によれば、一九八三年には家庭にコンピュータが必要だと考える人は皆無にひとしかった。ところが二〇〇六年の時点では、「必要だ」という回答がおよそ五〇％に達していたのだ(注6)）。これらは多くの人々から求められているが、たいていは愛情の対象ではない。いわばトイレットペーパーやキッチン洗剤と同じような存在であり、愛されなくてもビジネスとして十分に成功しうる。

上質をきわめた商品やサービスの多くはハイエンド市場を占める。価格は高めで誰もが購入するようなものではない。むしろ、手が届きにくいからこそ利用者は個性や異彩を放つことができ、それが上質感を醸し出すのだ。裏を返すなら、手軽な商品やサービスの多くは幅広い顧客層を惹きつける。値が張らず、世の中のすみずみに普及する。そのお陰で入手しやすさが増し、価格がいっそう押し下げられるため、ますます手軽になっていく。しかも、利用者が増えるとありきたりになり、個性の発露にはつながらないため、上質感は薄れていく。

上質か手軽か。このどちらかをきわめれば、偉大なビジネスへの道が開かれる。独自の境地に到達できるのだ。

とはいえ、愛され、なおかつ必要とされる存在になるのは、つまり上質さと手軽さをともにきわめるのは、かぎりなく不可能に近い。それどころか、二兎を追おうものなら破滅へと向かいかねない。

＊＊＊

以上の議論を、ジェフ・ベゾスがご執心のキンドルに当てはめてみたい。上質vs手軽という切り口で見た場合、電子書籍が紙の本を凌ぐ上質感を手に入れるのは至難の業だろう。ＭＰ３がＣＤに歯が立たないのと同じである。ただし、手軽さの点では電子書籍が相手を打ちのめす可能性があり、それは音楽業界でＭＰ３がＣＤを打ち負かそうとしている構図と重なる。

キンドルは、二〇〇八年の段階ではいまだに不毛地帯を抜け出せずにいた。アマゾンは、紙の本より上質でかつ手軽な電子書籍リーダーを目指したが、現実にはどちらも中途半端だったのだ。

マスマーケットに照準を合わせるなら、キンドルをきわめて手軽な商品にするために経営資源をつぎ込むのが、アマゾンのとるべき方策ではないだろうか。ベゾスはすでに望ましい方向へと舵を切り始めている。あらゆる電子書籍を六〇秒以内にダウンロード可能にしようとしているのだ。これが実現すれば、史上最も使い勝手のよい書店になるだろう。ただし、価格も見落としてはならない。つまり、キンドルの価格を大幅に下げる必要があるのだ。この意見には、「みんなｉＰｏｄには何百ドルも払っているではないか」という反論の声があがるかもしれない。たしかにそのとおりだが、音楽ファンが楽曲を聴くには、ポータブルＣＤプレーヤー、初期のテープ対応のウォークマン、家庭用ステレオなど、昔から何かしらの機器が欠かせなかった。ところが、本を読むにはこれまで機器の購入など不要だった。電子書籍が従来の本とは比べものにならないほど安いならまだしも、ブックリーダーに三〇〇ドル以上も支払うのはとてつもなく不便に思われる。キンドルの価格が劇的に下がり、紙の本を買って持ち歩くよりも容易に電子書籍を購入・保存できるようになれば、消費者は上質な本に代えて手軽な電子書籍を選ぼうとするかもしれない。

このような取捨選択をどう導くか。これこそがマーケティング手腕の見せどころである。

第3章 不毛地帯と幻影

二〇〇七年のクリスマス休暇、十四歳の誕生日をまぢかに控えた息子のサムは、自宅から三〇〇〇マイルも離れた親戚のもとを訪れていた。そこへクリスマス気分を吹き飛ばすように、ひどく悲しい知らせが携帯電話のテキストメッセージで届いた。親しいサッカー仲間が交通事故でこの世を去ったというのだ。サムの友人たちは予期せぬチームメイトの死と向き合わなくてはならず、互いに励ましなぐさめ合った。使われたのはテキストメッセージだった。仲間たちから遠く離れた地にいたサムは、この手段にとりわけ大きく頼った。無数のメッセージが絶え間なく交わされた。一カ月後、私は携帯電話の利用明細を見て目を疑った。友人が亡くなった直後、サムは日に四〇〇通以上ものメッセージを送受信していた。睡眠、食事、入浴やトイレの時間を差し引くと、およそ二分に一通のペースである。

なぜテキストメッセージなのか。ちっぽけなスクリーンに文字が並ぶだけで写真も絵もないのに。しかも最大一六〇字という制限まである。発煙信号やモールス信号まで考えに入ればべつだろうが、人間のコミュニケーション手段としては上質の対極もいいところだ。代わりにインスタント・メッセージやeメールを活用する手もあっただろうし、携帯電話で話をしてもよかったはずである。さらに上を求めるなら、ウェブカメラとネットを使ってテレビ電話会議を開く方法もあった。にもかかわらず、携帯電話を持つ中学二年のサムと友人たちにとって、テキストメッセージが何より手軽だったのだ。携帯はつねにポケットに入っていて、いつでも瞬時に使える。起動もサインインもいっさい不要。通話とは違って何かを中断する必要もない。メッセージが届いたら、すぐにではなく、手がすいてから返信してもよい。これが中年だったら、間違いなくべつの方法を選ぶはずだ。たぶん電話をかけるだろう。ところがサムたちは、ほかのどんなコミュニケーション手段よりも、手軽なテキストメッセージのほうを好んだのだった。

ほかの層、たとえば技術畑の上級マネジャーは他者と交流するにあたり、上質か手軽かの二者択一をまったく違ったかたちで行うだろう。ＩＢＭは巨大企業の例にもれず世界各地に事業所を展開しており、技術陣は往々にして、シリコンバレー、ニューヨーク、ドイツ、中国など各地に散らばる同僚たちとともにプロジェクトに取り組む必要に迫られる。最も上質なコミュニケーションは、飛行機で現地へ飛んでじかに顔を合わせることだが、話をするためにいちいちそんなことをするわけにはいかない。そこで何十年ものあいだ電話会議を活用していたのだが、ここにきて、仮想空間のセカンドライフで会議を開くという選択肢がくわわった。

技術チームのメンバーは全員がセカンドライフ上にアバター、つまりアニメ風のキャラクターを自分の分身として設定しておき、会議に参加する際には、あらかじめ決まった「会議室」にアバターを入室させる。そこには、現実の会議室と同じようにテーブルと椅子があるかもしれない。あるいは、奇妙な椅子が置かれているだけで壁もなく、アート作品が宙に浮いているなど、今までに見たどの会議室とも異なるかもしれない。アバターたちがやってくると、互いの姿を目にすることになるため、参加者がひとりまたひとりと見慣れた会議室に集まってくる様子を見るようだ。参加者たちはキーボードを叩いて雑談する。室内を歩きまわって旧知の仲間とあいさつを交わすのも自由だ。いざみんなが席に着くと、会議には活気がみなぎり、電話会議よりもむしろ膝詰めの話し合いに近い。ＩＢＭがセカンドライフを用いた会議を奨励するようになったのも、じつのところ、「電話会議よりこちらのほうが議論に集中でき、高い成果につながる」という参加者たちの意見による。

二〇〇〇年ごろから数年にわたりＩＢＭの技術戦略を統括し、社内にセカンドライフの活用をうながした当人でもあるアーヴィング・ウラダウスキー・バーガーが語る。「二〇人の会議を想定しましょう。いえ、一〇人でもいいでしょう。……電話会議ではその時々で誰が話しているのか、当人以外には雲をつかむようなものです。ひどくよそよそしい感じがしますよね。実際に一堂に会していれば、発言者を遮るようにしておおぜいが次々と声をあげますが、電話会議ではそれがありません。これに対して、仮想空間での会議は対面での話し合いに近いのです(注1)」。

ところが困った問題がある。最先端のセカンドライフは、ある程度テクノロジーに慣れ親しんだ人にとってさえ使いにくい面があるのだ。大多数の人々にとって、セカンドライフ空間での会議はおよそ手軽とはいえないものだった。なぜなら、「簡単に使えなくてはいけない」という、手軽であるための大切なルールに当てはまらなかったからである。これと比べて電話会議のほうは、複数の人間が離れた場所にいながらにして話し合いをするための最も簡単な手段だった。しかし、IBMの技術者にとってはセカンドドライフを使いこなすのはわけもなく、電話会議よりも上質な経験につながった。この種の人々が電話会議のよしあしをめぐって下す判断は、たとえばダラスを拠点とする自動車部品のセールスマンや、大都市近郊の中学二年生のものとは異なる。電話会議ほど手軽でなくても、より上質なセカンドドライフでの会議を選ぶのだ。

私たちは折に触れて上質さと手軽さを天秤にかけている。くる日もくる日も四六時中これを繰返している。こうして天秤にかけた結果、上質さと手軽さのどちらかが選ばれる。状況に応じて判断も違ったものになるが、同じ状況のもとでも人によって判断はまちまちだろう。ごくふつうの家庭に育った中学二年生は電話での会話よりもテキストメッセージを選ぶが、彼らの親の世代はおそらくべつの選択をするだろう。IBMの技術者は電話会議よりも仮想空間での会議を好むが、技術と縁の薄い企業ではまったくべつの判断が働くと考えられる。上質と手軽のとらえ方が属性ごとにどう異なるかを見極めると、対象市場を絞り込むのに役立つほか、あらゆる商品やサービスの成功と失敗を解き明かすヒントにもなる。

トレードオフ──明暗をわける選択

上質と手軽の天秤とは、この二つのうちどちらを選ぶかという個々の判断を意味する。

私たちは日々の暮らしのなかで、絶えずこうした判断を繰り返している。U2の曲を自宅のサラウンド・システムで聴くよりも、場所を問わずiPodで楽しもうとするのは、手軽さを選んだ結果である。片や、上質さをとる場合はコンサートに繰り出す。長旅の道すがらマクドナルドに寄るのは手軽だからだが、味や雰囲気にこだわるなら四つ星レストランを訪れるだろう。どちらを選ぶかはえてして状況によって決まる。時間がない、急いでいる、という状況では、たとえすぐそばに美食家好みのレストランがあったとしても、手軽なマクドナルドですまそうとするだろう。

年齢、性別、収入などによって選択がわかれる場合もある。

二〇〇八年半ばに国立衛生統計センター（NCHS）が行った調査によれば、二十五歳から二十九歳までの年齢層では、一般電話を契約せず携帯電話だけを使う割合が三四・五％にのぼるという。三十歳から四十歳では一五・五％であり、六十五歳以上ではわずか二・二％にすぎない。(注2)家庭でどの電話を使うかをめぐって、二十代と六十五歳以上とではまったく異なる選択をしているわけだ。話の家のなかで電話を受けたりかけたりするうえでは、一般電話はことのほか上質な手段である。話の途中で切れたりしないためきわめて信頼性が高く、いくつもの受話器でいっせいに聴くこともできる。しかも、緊急時に九一一番をダイヤルすると、どこからかけているかが警察や消防に自動的に伝わる仕組みもある。ネットを介したスカイプでの通話などと比べて、料金がかなりかさむのも特徴だ。対する携帯電話は、多くの人にとってむしろ手軽な手段である。二一世紀に入って何年か過ぎたころには、爪に火をともすような暮らしをしているならべつとしても、誰もが携帯電話を持つようになっていた。そして、「外出時のために携帯電話を持っているのだから、これを家でも使わない手はないだろう」という考えが広まっていった。電話機も番号もすでに確保してあるため、家でも使うからといって新たに出費が生じるわけでもない。つまり、一般電話を契約するよりも携帯電話を転用するほうが、費用面で手軽だという結論になった。携帯はこれ以外の面でも手軽である。肌身離さず持っていられるのでどこにいても着信を逃さずにすみ、電話を受けやすいのだ。ただし、電波が安定せず音質も一般電話に劣りがちであるため、上質とはいいがたい。

六十五歳以上の層は、携帯電話だけを持つ手軽さよりも一般電話の上質さを圧倒的に支持した。ところが二十代は、上質さよりも手軽さを優先させて携帯電話に軍配をあげている。

年齢層による違いをもう少し掘り下げたい。不動産ビジネスではどうだろう。戸建てやマンションを探すなら、不動産業者とともに現場を訪れて五感すべてを働かすのが極上の方法である。手軽さの点では、場所や時間を問わずにできるオンライン物件検索に勝るものはないが、ウェブ上の説明や写真、あるいは時折添えられている動画を見ただけでは、物件を不動産業者とくまなく見て回る上質さにはおよばない。二〇〇六年にピュー・インターネット&アメリカン・ライフ・プロジェクト（以下ピュー）が手がけた調査では、十八歳から二十九歳までのアメリカ人の五一%が「不動産情報をネットで探す」と回答している。つまり、手軽かどうかを何より重視しているのだ。六十五歳以上では、ネットを使いこなす人々だけに対象を絞ってもなお、オンラインで不動産探しをする割合は一五%どまりだった。(注3)

電話と不動産をめぐる以上二つの事例は、若者は上質さよりも手軽さを、中高年は手軽さよりも上質さを選ぶという印象をもたらすかもしれないが、ことはそう単純ではない。ピューは「なくてはならない」とされる商品についての調査も実施している。そのなかで電子レンジをめぐる結果が興味深い。家庭での食事のしたくを考えた場合、電子レンジに頼るのが最も手軽で、コンロやオーブンを使って自分で一から調理するのが最も手の込んだやり方だ。ところが、これにまつわる年齢層別の見方は意表をつくものだった。電子レンジを「必要だ」とする割合は、十八歳から二十九歳で七二%であり、三十歳から四十九歳では六一%に下がるのだが、六十五歳以上では一転七五%に跳ね上がり、二十代よりも高い数字を示しているのだ。(注4)二十代と六十五歳以上の層はともに、自分だけ、あるいは夫婦二人だけの食事をつくる割合がほかの年齢層よりも高い。あいだにはさまれた中年層では、子どもを含む何人もの食事を用意する例が多いだろう。一人前ないし二人前なら、手軽な電子レンジが何より望ましい。もっと大人数のためなら、コンロを使ってごちそうに腕をふるう可能性が高いだろう。

上質さと手軽さをめぐるこのような選択は、収入の多寡にも影響される。手軽に入手できるかどうかは価格に左右される面が大きいため、何を手軽とみなすかは、年収が二〇万ドルの人と五万ドルの人とでは異なってくるだろう。高所得層は質を重視する。たとえばデザイナーズ・ファッションを選び、サービスのよさで知られるブティックで買い物をし、コンサートをS席で楽しむ傾向が強いといえる。他方、暮らし向きが厳しい層では、節約優先で手軽な選択をする可能性が高い。出来合いの服を身につけ、ウォルマートで買い物をし、お気に入りバンドの曲をイヤホンで聴くことに甘んじるのだ。

このような属性による違いもあるとはいえ、全体としては、上質さと手軽さをめぐる選択には一定の傾向が見られる。たいていの場合、私たちはいちばん手軽な商品やサービスを選ぶが、特別な機会には上質な商品やサービスで自分をもてなす。テッド・レオンシスがいみじくも語ったように、手軽であるとは「必要とされる」ことであり、上質であるとは「愛される」ことなのである。

ブルーレイは「不毛地帯」を免れるか

手軽でも上質でもない商品やサービスは、消費者に振り向いてももらえない。不毛地帯でくすぶるしかないのだ。

二〇〇六年中盤、家庭向けハイビジョンテレビ（ＨＤＴＶ）の売れ行きが伸びるなか、ハイビジョンに適したビデオディスク、すなわち次世代DVDの分野では、競合する二種類の規格が市場に現れた。ソニーを中心とした企業群が投入したブルーレイと、東芝主導によるHD‐DVDである。消費者への「売り」は、HDTVで映画を再生した場合、旧来のDVDよりも次世代DVDのほうがくっきりした美しい映像を楽しめる、というものだった。ところが発売後の一八カ月間、ブルーレイとHD‐DVDはともに、プレーヤーやディスクの売上が鳴かず飛ばずだった。旧来版と比べてプレーヤーは三～四倍、映画ソフトも二倍と割高だった。ただし、アナリストたちの当時の指摘は、「最大の問題点は規格争いのせいで市場が振り回されたことだ」というものだった。一九八〇年代にソニーのベータマックスで起きたように、自分の選んだ規格が市場から駆逐されたら、時代遅れの技術に縛られて二進も三進もいかなくなるため、消費者は様子見を決め込んだのだ――。

規格争いが終息すれば、重しがとれて売れ行きに火がつくはずだった。二〇〇八年二月、HD‐DVD陣営が撤退を決め、市場にはブルーレイだけが残った。エレクトロニクス業界は、「消費者は堰を切ったようにブルーレイを買いに走るだろう」と期待をふくらませた。ところが実際にはまったくの期待はずれだった。東芝陣営が白旗をあげた直後の一カ月間、ブルーレイ・プレーヤーの売上は前月より二％増えたにすぎず、その後も明るい兆しは見えなかった。消費者は既存のDVDプレーヤーに少しも不満がなく、それに対応するDVDを何枚も持っていたため、何倍ものカネを払ってブルーレイに乗り換える気などさらさらなかったのだ。

二〇〇八年の時点でブルーレイは不毛地帯に埋もれていた。決して旧来商品より手軽なわけではなく、割高なうえ、映画ソフトの種類もはるかに少なかった。ネットフリックスやブロックバスターなどのレンタルショップも、ブルーレイ対応のタイトルをほとんど揃えていなかった。しかも、全米家電協会によれば成人の八四％がすでにＤＶＤプレーヤーを持っていたという（必要な機器があればＤＶＤの再生もきわめて手軽である！）。上質さという軸で見るなら、ブルーレイが旧来のＤＶＤを凌ぐのはたしかだが、消費者がなだれを打って買いに走るほどの差があるわけではない。ＤＶＤは一九九〇年代に、画質や見る人を満足させる力で長足の進歩をとげ、ＶＨＳを大きく引き離した。しかし、ブルーレイにはそれほどの質の優位性はない。優位性がきわめて小さい以上、消費者のほとんどは従来の二倍もの対価を支払おうとはしなかった。

今のところ、家庭での映画鑑賞についていえば、ＤＶＤは手軽でしかもほどほどに上質であるため、たいていの利用者に満足をもたらしている。今よりはるかに上質な規格が新たに登場すれば、消費者のハートをつかめるかもしれない（候補として考えられるのは3Ｄディスクだろうか？）。ただしブルーレイにとって、不毛地帯から抜け出すためのハードルはきわめて高いだろう。ＤＶＤを寄せつけないほどの素晴らしい鑑賞体験をもたらせるかというと、その可能性はゼロに近いのだから。ブルーレイに今後への望みがあるとすれば、ただひとつ、プレーヤーと映画ソフトが、価格と手に入れやすさ、ひいては手軽さでＤＶＤとほぼ肩を並べることだろう。そこまでくれば、ブルーレイの画質のよさがものを言い、消費者のあいだで「乗り換えてもよい」という機運が高まるかもしれない。

ブルーレイやキンドルのような新世代のテクノロジーは、生まれた時はほぼ例外なく不毛地帯にいる。えてして価格が高すぎたり使い方が難しかったりするため手軽とはいえず、かといって、豊かな経験を利用者にもたらすわけでもない。テクノロジー系企業の創業支援を手がけるアイデアラボの設立者ビル・グロスは、「新しいテクノロジーは、既存の成功商品の一〇倍の上質さないし手軽さを実現しないかぎり、世の中の注目を引くことさえできない」と肝に銘じているという。(注5)誕生直後にこの基準を満たす例はごくごくわずかである。デジタルカメラ、HDTV、パーソナル・コンピュータ、携帯電話、電子レンジ、家庭用エアコンはいずれも不毛地帯から出発した。

いつかの時点で不毛地帯から抜け出さないかぎり、そのテクノロジーは市場から姿を消すほかない。そして一般には「失敗例」と呼ばれることになる。ブルーレイも失敗例となる運命にあるようだ。

「幻影《ミラージュ》」を追い求めて失墜したCOACH

消費者が上質さを愛し、手軽さを必要としているなら、この二つを組み合わせて両方をともにきわめた商品をつくれば、向かうところ敵なしだろう。なぜ、愛されてしかも必要とされる商品をつくろうと奮起しないのか——。たしかに魅惑的な組み合わせではあるが、種を明かせば、これは幻影にすぎない。血眼になって追いかけても、しょせんは実在しないのだ。

幻影というコンセプトを使うと、バッグ類などを手がけるCOACHの浮き沈みをみごとに説明できる。COACHは二〇〇〇年ごろから飛ぶ鳥を落とす勢いだったが、二〇〇八年には見る影もないほどの窮状に陥った。一九七〇年代に高級ハンドバッグを武器に地歩を固め、ルイ・ヴィトンやエルメスと並び称されるほどのラグジュアリー・ブランドとなった。ところが九〇年代終わりになると、「身近なラグジュアリー」とでも呼ぶべきカテゴリーを考案し、マスマーケット向けに洒落たデザイナーズ・バッグを提供する戦略を打ち出した。高級ブランドとして大成功を収めていながら、それに飽き足らず、上質さと手軽さの二兎を追ったのだ。

一時期、この戦略は功を奏しているように見えた。二〇〇四年から二〇〇八年はじめにかけて、COACHは九四店舗を新規オープンしたほか、数十のディスカウント・アウトレットを設けた。従来のブランド名のもと、最も価格の低いところではなんと二五ドルのバッグまで売り出した。平均価格は三〇〇ドル。ラグジュアリー分野の競合ブランド、ヴィトンのバッグはいちばん安いものでもこの二倍の値段であるし、エルメスはバッグ類にかぎらずすべてのアイテムが三〇〇ドルをはるかに上回る。COACHは、ビバリーヒルズのロデオドライブやニューヨークの五番街といった高級ブティック街だけでなく、ペンシルベニア州エレンタウンのような中流街にも出店した。

上質さはオーラや個性に大きく支えられており、ファッション分野ではとりわけこの傾向が強い。だからこそ、裕福な人々はエルメスのバッグを二万ドルで買い求めるのだ。いかにエルメスといえども、ディスカウント店のターゲットで購入したバッグと比べて、一〇〇〇倍も価値があるわけではないだろう。ただし、エルメスには風格がある。持ち主の趣味のよさや収入の高さを周囲にほのめかすのだ。オーラや個性とは、要はこういうことである。

他方、手軽さはオーラや個性を打ち消す役割を果たす。手軽さが増すにつれて、つまり、入手や購入が容易になるにつれて、オーラと魅力は損なわれていく。手軽になればなるほど、そのアイテムが持ち主を引き立てる力は弱まっていく。

高級であると同時に手の届く存在でもあろうとしたのがアダとなり、COACHブランドは色褪せてしまった。上質さと手軽さの両方を追い求めた結果、どちらも中途半端になり、不毛地帯へと転落したのだ。COACHはもはやラグジュアリー・ブランドとはみなされず、かといってマスマーケットに完全に浸透したわけでもない。愛されもせず必要ともされない存在になり、二〇〇七年度、既存店の売上が対前年度比で減少するという近年にない事態にみまわれた。二〇〇〇年からの数年間、事業を急拡大させ、高級バッグの売れ行きをかつてなく伸ばしたのにともない、COACHの株価は二〇〇〇%も上昇した。しかしやがて、手軽さを追求したせいでブランドのオーラと個性が翳り始めた。消費者もそれに気づき、COACHのバッグを買うことに迷いを抱いた。競合他社は、COACHの陥ったジレンマを「ラグジュアリー業界のマクドナルド」という心憎いまでの表現で揶揄した。

今度は視点を逆にしてみたい。手軽さの本質が安さと便利さにあるなら、そこに上質さを持ち込むのはすべてをぶち壊しにする行いである。楽に手に入る安価な商品やサービスに奥行きのある豊かな経験を添えようとすると、往々にして価格の上昇や機能の増加を招く。上質さを実現する要素は、手軽さに逆行するものであることが多い。COACHの例にもあるように、上質な商品やサービスを「上質でしかも手軽」へ進化させようとすると、行き着く先は不毛地帯である。その逆もしかり。マクドナルドはこれまでに何度か、テーブルクロスやウェイターサービスを用意したくつろげるレストランを開店したが、ことごとく失敗に終わっている。人々がマクドナルドを訪れるのは手軽だからにほかならず、この利点を活かしたまま高級レストランに変貌をとげるのは不可能というものだ。

もっとも、詳しくは次の章以降で述べるが、幻影のコンセプトを掲げたからといって、「上質か手軽、どちらかひとつに特化しないかぎり成功しない」と主張しているのではない。手軽な商品やサービスに上質さをひと振りすれば、あるいは上質な商品やサービスに手軽さをさりげなく添えれば、ライバルを寄せつけない絶妙の取り合わせを生むのも夢ではない。これを実現する秘訣は、欲に目がくらんでひたすら幻影を追いかける愚を避けることだ。

第4章 カメラ付き携帯の衝撃

映画化以前のテレビ版「スター・トレック」（宇宙大作戦）を愛する人々は、「未来をみごとに見通した作品」としてこれを絶賛する。しかし、カーク船長が「スコッティ、私を救ってくれ」と交信するのに使っていたあの通信機《コミュニケーター》ときたらどうだろう。カメラ機能がないため、架空の動物トリブルを愛玩するスポックの様子をカークがこっそり写真にとろうとしても、できない相談なのだ。これは大きな手抜かりである。

二〇〇〇年を迎えるころまで、カメラ付き携帯電話がこれほど人気を集める予兆ははっきりとは見えていなかった。ところがひとたび普及にはずみがつくと、カメラ・写真業界を凄まじい破壊力で襲った。市場をこれほどまでに激震させ、周囲のいたるところに混乱をおよぼしたのだから、稀有なイノベーションである。カメラ携帯は、カメラ・写真業界のなかで上質さと手軽さのバランスをただ変えたのとはわけが違う。まったくの新機軸を打ち出したのだ。

このような疾風怒濤を、インテルの伝説的な元ＣＥＯアンディ・グローブは「戦略の変曲点」と呼んだ。新しい勢力の殴り込みによって業界の勢力地図が大きく塗り替えられる、そんな局面をこの言葉で言い表したのである。ＰＣの登場により、それまで事務部門のプロフェッショナルだけのものだったコンピュータが、はじめて一般の人々にとって身近な存在になったのも、具体例のひとつである。テレビ、インターネット、クラレンス・バーズアイの冷凍食品の登場などもしかり。このような事象をグローブは経営の視点からとらえた。逆に、「上質と手軽の天秤」は顧客の視点に立ったコンセプトだが、どちらにせよ、変曲点の前と後では天秤の振れ方は一変しているはずだ。

カメラ業界が戦略の変曲点にさしかかったのは、もとをただせばフィリップ・カーンの発案がきっかけである。フランスに生まれ、一九八〇年代にアメリカへわたったカーンは、がっしりした体格と頑固な性格で知られ、ジャズの愛好家、フルート奏者としての顔も持つ。ＰＣ向けソフトウェア企業の草分けであるボーランド社を設立し、これによって大きな財をなした。マイクロソフトのビル・ゲイツとはたびたび表立って反目しあったが、たいていは苦杯をなめる側だった。九五年には、会社の方向性をめぐる対立がもとでボーランドを追われた。やがて、携帯電話の小型化、高性能化、大衆化といったトレンドに目をとめて、携帯向けソフト開発のスターフィッシュ社を旗揚げした。

一九九七年当時、カメラ付き携帯の構想はいまだ漠然としていたようだ。カメラと携帯を一体化するのは、少なくとも先見性のある技術者にとっては、トーストにバターを塗るのとおなじくらい自然なことだった。問題点をあげるなら、ナイフ、つまり、手軽で実用的な方法で二つを一体化する手段を誰ひとり見つけていないことだった。そこでカーンの出番が訪れた。九七年、カーンは妻ソニア・リーの初産に立ち会うために病院を訪れた。よき夫らしく、陣痛の始まった妻のかたわらに寄り添ったという。その時の様子をカーンはこう語ってくれた。「ラマーズ法の講習を受けていましたから、『息を吸って吐いて』と声をかけたのですが、二度目に『あなたは黙っていて!』と叱られまして。そこで、『じゃあ、そばにすわって何かしてるさ』ということになったのです」。

根っからの技術オタクである彼は、病院にまでラップトップ・コンピュータ、携帯電話、デジタルカメラ一式を持ってきていた。このころはまだ、デジタル写真を誰かと共有するには、①デジカメで写真を撮る、②ファイルをラップトップ上に保存する、③インターネットに接続する、④ウェブサイトに掲載する、⑤友人たちにメールでURLを知らせる、といった手順を踏む必要があった。カーンは「シャッターを切ったら、あとはボタンひとつで写真をウェブに載せられたらいいのに」と思った。妻が産みの苦しみに耐えているあいだ、彼は自分の居場所を離れず静かに機械類をいじっては、それらの機能をつなぐためのプログラムを作成した。「時間があったので、ハンダづけ用の針金を買うために、家電販売店のラジオシャックとの間を何回か行き来することもできました。ですが、病室にとどまってあれこれ工夫を重ねたのです」。産声をあげたばかりの娘を腕に抱くころには、急ごしらえの奇妙な機械を使って愛娘のデジタル写真を撮り、家族や友人に見せるために携帯電話でウェブ上に転送できるようになっていた。

それからほどなく、カーンの会社スターフィッシュはモトローラに買収された。カーンはカメラ付き携帯をめぐる自分の構想を売り込んだが、モトローラは携帯電話の発明元であるにもかかわらず、この構想に可能性を認めなかった。このためカーンは、ピクチャーメールの開発と販売を目的にライトサーフという新会社を立ち上げた。ピクチャーメールとは、携帯電話で写真を撮ってどこかへ転送する機能を実現するための、裏方的なソフトウェアである。いわば、カメラと携帯をつなぐ「ナイフ」に相当するものだ。ピクチャーメールの初期バージョンは一九九九年に日本でお目見えし、シャープや京セラといった日本メーカーがカメラ付き携帯の商用化に向けて先陣争いを繰り広げた。やがてノキアなどほかの携帯メーカーも戦列にくわわった。しかし、コダックが本腰を入れたのは二〇〇八年になってからであり、それもモトローラとの提携というかたちだった。

二〇〇二年に世界でおよそ八〇〇〇万台だったカメラ付き携帯の販売台数は、二〇〇四年には二億三三〇〇万台に達した。インフォトレンズ／ＣＡＰベンチャーズの予測では、二〇一〇年には一〇億台に迫るだろうという。

カメラ付き携帯の登場によって写真の概念は一新された。かつて写真といえば、あらかじめ被写体や背景を決めたうえで慎重にカメラを構えてシャッターを切るものと、相場が決まっていた。ところが、カメラ付き携帯が生まれてからは、写真は手軽なものと上質なものの二タイプにわかれた。前者は、ポケットに携帯が入っていたから何気ない瞬間を撮ってみたものの、印刷したり飾ったりするつもりはないものだ。後者は、大切な思い出をかたちに残すために、「写りがよければいつまでも飾っておきたい」ものだ。デジタルカメラやフィルムカメラを使って撮影する大切な一枚である。携帯カメラは、カーンの発明などをよりどころにして、手軽な写真の世界に大革命を起こした。携帯電話を持ち歩く習慣がすでにとてつもない広がりを見せていたため、何百万もの人々が、携帯に付随するかたちでカメラを常時たずさえる時代が幕を開けた。日々の出来事を手軽に写真に収める画期的な手段が誕生したのだ。これほど簡単に写真を撮影、共有できるのは、かつてなかったことである。

カメラ・写真業界は、デジタルカメラの影響で二〇〇〇年以前にも何度か変化の波に洗われていた。だが、カメラ付き携帯の衝撃は従来とは比べものにならないほど大きかった。文字どおりの激震だったのだ。一九八〇年代を振り返ると、高価なレンズを用いた最高級フィルムカメラが上質さを、コダック製の安いインスタマチック・カメラが手軽さを、それぞれ演出していた。デジタルカメラが出現したあとも、人々はそれ以前と同じように二者択一をしていた。値の張るレンズを用いた解像度と価格の高いデジタルカメラが上質さを、ターゲットで買うような解像度の低い安価なデジタルカメラが手軽さを、それぞれ強みとしていた。

このような棲み分けは、カメラ付き携帯の登場によって崩れた。上質さと手軽さを天秤にかける際に、カメラの種類だけでなく写真の撮り方が重視されるようになったのだ。目的のはっきりした撮影と、身の回りのふとした瞬間をカメラに収める行為は、根本的に異なる市場を形成している。

日常の何気ないシーンをカメラに収める習慣は、実質的には一九九〇年代終わりに生まれ、二〇〇五年ごろには目的のある改まった撮影よりも一般的になっていた。その結果、単体のカメラを製造した経験のないノキアが、カメラ付き携帯で世界最大のカメラメーカーの地位を手にした。インフォトレンズの予測によれば、二〇一〇年には携帯で撮影した写真が二二八〇億枚となり、デジカメとフィルムカメラで撮影した写真の合計枚数を抜くという。カメラ業界は、ふいに凄まじい暴風にみまわれた。カメラ携帯がもたらした大革命により、手軽であることの意味が一変したため、かつてカメラ業界の均衡を支えていた上質と手軽の方程式はもろくも崩れ去った。斬新な発明によって吹き飛ばされたのだ。

では、カメラメーカーはどうすればいいのだろうか。携帯電話向けに、本格撮影のためのデザイン性にも優れた高性能カメラをつくるのは、得策とはいえないだろう。上質さを求める顧客と手軽さを求める顧客は、まったくべつの市場を形成しているのだ。三脚を使って写真を撮る人々はおそらく、三脚にカメラ携帯をとりつけたりはしないだろう。彼らが買うのはデジカメである。

見出された「つながる」という価値

上質と手軽の天秤の振れ方を大きく左右する要因が、じつはもうひとつある。商品やサービスに「社交性」が備わっている場合、上質感がグッと重みを増す可能性があるのだ。

ボウリングが長らく人気スポーツの地位を保っているのは、仲間との交流にうってつけだからである。さして華やかなスポーツではないため、ボウリング場通いをしてもオーラをまとえるわけでも、異彩を放てるわけでもない。手軽ともいいがたい。懐はさほど痛まないが、ボウリング場に出かけていくという厄介さがともなう。しかし、親睦にはもってこいなのだ。ボウリング場がビールやピザを供するのも、このような理由からである。ボウリング大会が、参加者にとってかけがえのない社交の場になる例も少なくない。有償でボウリング場を使うのは、ゲームを楽しむためだけでなく、仲間とつながるためである。この効用があるからこそ、ボウリングの楽しさ、ひいては上質さが大きく増している。

同じく、さまざまな施設に付設のバーも、社交を演出するという特性ゆえに、ドリンク類を供するだけにとどまらない上質な空間になっている。一九八〇年代にクイズゲームのトリビアル・パスートが大ヒットしたのも、友だち付き合いのスパイスになったからだ。マイスペースやフェースブックは、人とつながるためのサイトである。実際、この二つの登場が、他社をSNS（ソーシャル・ネットワーキング・サービス）の威力に目覚めさせるきっかけとなった。「つながり」を演出する力をいかに商品やサービスに添えて市場での優位を手にするかを、各社が懸命に考える、そんな風潮がはじめて生まれたのだ。

このテーマを長年追いかけてきた人物といえば、真っ先に思い浮かぶのがトリップ・ホーキンスである。ホーキンスは一九八二年にゲームソフト業界の巨人エレクトロニック・アーツを起業したが、やがて同社を去って3DOを設立、次いで二〇〇三年には、携帯電話向けのゲームやアプリを開発するデジタル・チョコレートを旗揚げした。このあいだ一貫して、「つながり」をテーマにしてきた。

ノキアやベライゾン・ワイヤレスは、携帯向けのゲームや動画を普及させようとして、何年ものあいだ努力しながらも成果をあげられずにいるが、ホーキンスから見ればその理由は明白だろう。「つながり」の重要性を見落としているのだ。携帯電話のちっぽけなスクリーン上では、しょせん上質なゲームや動画サービスは実現できないため、ひとりで楽しむために提供したのでは普及にはずみをつけるのは難しい。ホーキンスの言葉はこうだ。「いつも口を酸っぱくして言っているんですがね。携帯事業者は音楽や動画といったサービス、家庭用ゲーム機や携帯用ゲーム機向けソフトの移植、映画のゲーム版などに強いこだわりを示していますが、どれも的はずれもいいところでしょう。モバイルで大切なのは上質さではなく、つながりを生む力なのです」。

私はホーキンスと、テクノロジーをめぐる彼の哲学、商品やサービスの明暗を分ける理由などについて何度も言葉を交わし、上質さと手軽さをめぐる考えを深めるうえでも影響を受けてきた。ホーキンスは、私がこれまで出会ったテクノロジー起業家の多くとはまったく印象が違う。超のつくオタクでありながら、日に焼けた引き締まった肉体、みごとに整えた髪、このうえなく洗練されたファッションなど、銀幕のスターさながらの風貌をしているのだが、その裏には、十代の天才プログラマーを思わせる朴訥な素顔が隠されている。ある時、業界コンファレンスの基調講演に先立って、エレクトロニック・アーツを創業した理由を、「自分は仲間はずれだ」という意識があったからだと明かしてくれた。「子どものころ、ボードゲームをして遊びたかったのに、みんなはテレビのほうに夢中でした。そこで思ったのです。『テレビ番組のようなゲームをつくれば、みんな僕と遊んでくれるだろう』とね」。以来ホーキンスは「つながり」に思いをめぐらすようになった。

エレクトロニック・アーツ時代の大ヒット作には、グラフィックを多用した上質なアメフト・ゲームソフト「マッデンNFL」がある。といっても、売れ行きの割に、愛好者の数はファンタジー・ゲームの足元にもおよばない状況がつづいている。つまり、画面上の試合展開よりも、統計データをもとに戦うゲームのほうが好まれているのだ。このファンタジー・ゲームでは、仲間が集ってリーグを形成し、各自が実在のスター選手を「ドラフト」して夢のチームを築く。ゲームの世界での戦績は、NFLの試合で選手が実際に残した統計データをもとに決まる。このように、ファンタジー・ゲームはおよそ上質とはいえないのだが、ただ一点、友人たちと競い、リーグについて延々と語り合えるため、「つながり」が強まるという効用がある。ホーキンスは、画質のよくないユーチューブが広く普及する様子にも目をとめた。ユーチューブのブレークスルーは、動画のウェブ掲載や視聴をきわめて手軽にできるようにした点にある。もっとも、燎原の火のように広まったのは、動画を友人たちに紹介しやすい仕組みがあったからだ。つまり、「つながり」に寄与しているのである。

ホーキンスが注視するなか、携帯事業者やコンテンツ企業は、テレビやゲーム機向けのエンターテイメントやゲームを携帯電話に移植する作業を熱心に進め、TVショー、スポーツ名場面集、全国ネットのニュース、映画などを試した。ノキアは携帯電話とゲーム機を合わせたN－Gageを発売したが、市場の反応は思わしくなかった。「五年ものあいだ、既存コンテンツを携帯電話に載せる動きが怒濤のようにつづきましたが、携帯事業者の収入の二%を占めるにすぎませんでした。全収入の九八%はコミュニケーションによるものです。この事実が物語るものは小さくありません」。ホーキンスが引き出した結論は、「携帯電話は社交のための機器だ」というものである。コンテンツの配信や再生ではなく、人と人をつなぐことにこそ最大の価値があるのだと。携帯電話は、アップルのiPhoneのような最新機種でさえも、スクリーンは決して大きくなく、音質も耳に心地よいとはいえない。「場違いなプラットフォームに、なぜ無理やりコンテンツを載せるのか」。ホーキンスは不思議でならなかった。むしろ、携帯電話の持ち味を活かすコンテンツをつくるべきではないか――。

そこでホーキンスは、モバイルゲームの可能性に新しい角度から挑むためにデジタル・チョコレートを起業した。上質をきわめるのではなく、使いやすさと「つながり」を重視しようというのだ。二〇〇五年には、世間をアッといわせるソーシャルゲームを送り出した。ひとつは「MLSNスポーツ・ピックス」である（MLSNはモバイル・リーグ・スポーツ・ネットワークの略である）。いうなら、スポーツ分野のオンライン・ゲームショーだ。友人たちとリーグをつくり、各自が思い思いの時間に世界のまちまちの場所でプレイする。「アバピープズ」というデートゲームもある。仮想のキャラクターをつくり、他者が生み出したキャラクターとデートできるのだ。デートで相手の気を引けば、人気ランキングを駆け上がることができる。どちらのゲームも、携帯電話の性能を存分に引き出す意図でつくられてはいない。グラフィックも最小限に抑えられている。ホーキンスの言葉を借りるなら、スクリーン上で何ができるかよりも、人とのつながりにこそ魅力があるのだ。

これらのゲームは、世界中を熱狂の渦に巻き込んだわけではないが、十分に人々の心をとらえたため、デジタル・チョコレートはモバイルゲーム業界の方向探知機の役割を果たし、ホーキンスの見立てが正しかったことを証明した。アバピープズの利用者が一カ月にやりとりするメッセージは平均四〇〇通にのぼり、熱気のほどをよく示している。「メディア企業は、コンテンツは上質でなくてはいけないと考えがちですが、これは時代遅れでしょう。利用者どうしをつなぐ機能を備えていれば、上質なコンテンツに打ち勝てます。それどころか、利用者には『コンテンツにお金を払っている』という意識はありません。知り合いを増やして自分の価値を高めるために投資しているのですから」。

二〇〇七年には、企業幹部の大多数は、社交に役立つかどうかが商品の価値を多少なりとも左右することを悟っていた。マイスペース、次いでフェースブックが、世界で最も注目される企業となった。何千万という利用者を獲得したからではない。利用者が重視して頻繁に訪れるサイトだからである。突如としてあらゆる企業が、商品やサービスに「つながりを演出する力」を持たせたいと考えるようになった。

USAトゥデーは、私がまだ在職中だった二〇〇六年、ウェブサイトにSNS的な要素を盛り込むために入念なプランを作成した。読者に、互いに結びつき、感想や意見を残し、交流する機会をもたらす計画だった。ボウリング場で大会の参加者たちが懇親を深めるのと同じように、USAトゥデーのサイトで読者どうしに親交を結んでほしい、という狙いである。これが実現すれば読者が繰り返し訪れるため、サイトの「吸引力」は強まるだろう——。しかし二〇〇八年時点では、狙いどおりの効果はあまり表れていなかった。私たちは、同じ新聞を読んでいるからといって、相手とつながりを深めようとするわけではない。これが効果がパッとしない一因だろう。本来的に人と人とをつなぐ力に乏しい商品やサービスは、あとからその性質を変えようとしても難しいようだ。

ライフアットという企業は、アパート居住者を対象としたソーシャルサイトを売りものにしている。個々のアパートやマンション向けに、フェースブックに似たSNSを提供しているのだ。居住者なら誰でも、自分のプロフィールを掲載したり、隣人たちのプロフィールを参照したりすることができる。五階A号室に入居したばかりの男性がテニス仲間を探そうとしたら、八階D号室の女性が大のテニス好きだとわかり、さっそくコートで会う約束をする、といった具合だ。居住者どうしが知り合って交流の輪を広げれば、そこでの暮らしがより充実したものとなり、長く住みつづけるだろう。

ラップ音楽のスター50《フィフティ》セントは、楽曲だけでなく「つながり」を武器にしてスターダムにのしあがった。二〇〇八年、自身のサイトThisIs50.comにソーシャル・ネットワーキング機能を持たせた。音楽アーティストのファンは、同好の士との交流を深めようとする傾向が強い。ティーンエイジャーたちは、同じアーティストを愛する友人たちと一緒に音楽を聴き、連れ立ってコンサートへ出かけ、音楽についてのおしゃべりに興じる。この一〇年間に、アーティストたちが情報発信のためにウェブサイトを立ち上げるのは、ごく当たり前になった。しかし、50セントはさらに一歩先を行き、ディスコグラフィ、プロフィール、お知らせ、動画にくわえて、ソーシャル・ネットワーキング機能を提供したのだ。ファンたちはこのサイトを介して出会い、50セントの音楽について語り合い、おそらくはネット上での友情を育むだろう。二〇〇八年半ば、サイトの会員数は一〇万人を突破し、凄まじい熱狂と興奮を生み出した。アーティストのサイトとしては過去になかった現象である。「つながり」を演出した結果、異例の人気を博したのだった。

これもホーキンスにとっては予想された展開だろう。ソーシャル・ネットワーキングこそ、彼のビジネス哲学の柱をなすものなのだ。「社交面の価値を持つ商品やサービスにお金が流れる傾向は、加速してきています。既存メディアはいまだこの点を熟考していないようですが、ソーシャル・メディアこそが目指すべき将来像でしょう」。

第II部

勝者と敗者

第5章 上質の頂点

ガラスメーカーのコーニングは、最高品質のガラスを武器に一五〇年にわたって繁栄を享受してきた。

コーニングという社名は、本拠地であるニューヨーク州コーニング市に由来する。ニューヨーク市からクルマで四時間ほどの比較的豊かな地であり、湖、緑の丘、農園などに囲まれた美しい光景が広がっている。六〇億ドルの売上を誇るグローバル企業のCEOにとっては、情緒溢れる地元でもある。コーニングのCEOウェンデル・ウィークスはこう語っていた。「店を訪れると、そこで会う人々の暮らしに当社が大きな影響を持っていることを実感します。……私の動静はコーニング市民の前にガラス張りです。いつどこで交通違反のキップを切られたかも、すべて筒抜けにちがいありません」。

こうした小さな田舎町のような地元の雰囲気は、コーニングの企業としてのあり方にも映し出されている。同族経営の名残と素朴さが同居しているのだ。ウィークスが言葉を継いでいく。「信条や人を大切にし、今日明日にとどまらず次世代のことを考えた行動を重んじるのです。こうした組織で働くなかで私自身も成長しました。当社の人間はみな、一五〇年以上つづく長い伝統を受け継いでいます。ですから、後進をどう育てるべきかを考えるようになります。これは当社ならではの発想でしょう」。

ウィークスは生え抜きの人材である。上背のある細い身体。鷹揚な人柄。さりげなく本質を衝いたユーモア。コーニングをかつてない繁栄へと導くという重責を担ってはいるが、奇異なことに、同じ会社を過去に破滅の淵に追いやったのもまた彼なのである。一九九〇年代、ウィークスは三十代にして光ファイバー事業のトップを務めていた。コーニングは光ファイバーの発明元であり、世界中の通信事業者に高速ネットワーク用の光ファイバーを納入して高いシェアを誇っていた。九〇年代末、通信業界は活況に沸き、光ファイバーは製造するそばから売れていったため、コーニングはあたかも中毒患者のように、この事業への依存を極端に強めた。全社利益のじつに八〇%を光ファイバーが稼ぎ出していた。ウィークスは工場を新設して人材を増やすなど、この分野に従来以上に多くのヒト、モノ、カネを投入していった。ＩＴバブルの絶頂期、コーニングの時価総額は一二〇〇億ドルにまでふくらんだ。

そこへ予期せぬ事態が持ち上がった。通信業界が異変にみまわれたのだ。エンロン、ワールドコム、グローバル・クロッシングなどの不祥事を受け、大規模な光ファイバー・プロジェクトが軒並み中止になった。景気が減速するなか、光ファイバーを介したデータ通信の増勢に翳りが見え、ネットワークの拡充がさしあたっては不要になった。注文のキャンセルがあれよあれよというまに押し寄せ、ウィークスの事業部、ひいてはコーニング全社が経営危機に陥った。二〇〇二年、時価総額は一五億ドルにまで縮小し、株価はあと少しで一ドルを割ろうとしていた。「当社は猛烈な逆風にさらされていました」とウィークスは振り返っている。

ふつうの企業であれば、「光ファイバー市場の先行きを見誤った」としてウィークスを更迭したのではないだろうか。ところが引退を控えたCEOジェイミー・ホートンは、ウィークスを追うどころか自身の後任に抜擢した。「ジェイミーからは『この大失態を招いた以上は、立て直しにも力をふるってくれ』と言われました」。ウィークスは自嘲ぎみにこうも付け加えた。「ほんとうはもう少しべつの表現でしたがね」。ホートンは「大失態」という言葉は使わなかったのだ。

ウィークスには会社再建への目算があった。ただし、自社の方向性を大きく変えるつもりはなく、むしろ本来の得意分野に立ち返ろうとしたのだった。「危機はまたとないチャンスでもありますから、これを逃す手はありません。『この機会を活かして、自社の目指すべきあり方をじっくり見極めよう』と考えたのです。そして、『世の中の礎になるような製品をつくり、イノベーションを糧に成長する』という事業の本質を重く受け止めました」。

ここにこそ、コーニングが一五〇年にわたって積み重ねてきた営みの秘密がある。一〇年単位の研究プロジェクトに巨額を投じて、業界の常識を破るような先進的なガラス製品を開発し、他社を大きく引き離すのだ。過去には皿やコーヒーポットの製造も手がけていたが、近年では消費財はまず扱わない。主力はあくまで、最先端ハイテク分野の製品やシステムの要――ウィークスの言葉を借りれば「礎」――になるようなガラス製品である。一九世紀には、トーマス・エジソンが発明したばかりの電球に合わせて、きわめて特殊なガラスを製造していた。カラーテレビを誕生させるうえで大きな役割を果たしたのも、コーニングが発明・製造したガラスである。世界の音声・データ通信のほぼすべてを媒介する光ファイバーもコーニングの発明である。薄型テレビのスクリーンもしかり。薄型テレビ関連の事業は稼ぎ頭にまで成長した。ウィークスは二〇〇七年に「一四年間赤字を垂れ流しつづけましたが、やがてふいに光明が見え、今のようなドル箱事業になったのです」と語ってくれた。

きわめて質の高いガラス技術を擁する点にかけて、世界広しといえどもコーニングの右に出る企業はない。新たな上質製品を生み出すために惜しみなく資金を投じ、競合他社に何年もの差をつけ、上乗せ価格を設定するのだ。

上質という原点に立ち返る戦略が実を結び、コーニングは起死回生を果たしたばかりか、光ファイバーが猛烈に売れていたころにも増して経営を盤石にした。時価総額は、一九九〇年末のような過大ともいえる水準には戻らないかもしれないが、しょせん当時は熱狂のせいで異常な高値がついていたのだ。二〇〇八年半ばに時価総額は三二〇億ドルを記録し、二〇〇二年の一五億ドルと比べると二〇倍近くにまで回復している。成長性と収益性を兼ね備えた最高品質の製品ラインが多数揃っていたほか、それを上回る数の製品ラインが開発途上にあり、研究部門では次の一〇年に向けた

R&Dが進められていた。

「とにかく欲しい」と思わせる商品

どの市場セグメントにも、たいてい最高品質で勝負する企業が少なくとも一社はあり、他社から称賛されるばかりか懸命な模倣の対象ともなっている。このような企業はさまざまな面で他社を凌ぐ。その商品やサービスは人々から愛される。手に入れたい、自分の分身にしたい、といった思いを抱かれる。たとえ価格が高いとか入手しにくいといった、とほうもない不便があっても、熱気は冷めない。「究極の上質さ」が実現した世界では、量子力学の不可思議な法則でも働くかのように、手軽かどうかはほとんど意味がなくなり、人々は「とにかく欲しい」「何としてでも手に入れたい」という思いによって突き動かされる。

アップルの初代iPhoneが好例である。その何年か前には、モトローラ製のRAZR《レーザー》がこの地位にあったといえなくもない。多くの携帯機種が回線契約と引き換えに無償提供されていたころ、RAZRは四〇〇ドル以上で売られていた。航空業界ではシンガポール航空のファーストクラスが、ハンドバッグ業界ではルイ・ヴィトンが、それぞれ上質の頂点に位置する。自然食品小売のホールフーズは二〇〇〇年以降、上質なスーパーマーケットとしてのイメージが定着している。レストラン業界には——寿命は長短さまざまにせよ——つねに極上の経験をもたらす店がある。カリフォルニア州ナパバレーのフレンチ・ランドリーもそんなレストランのひとつだ（ちなみに、およそ手軽とはいえない。ディナーはワイン抜きでひとり三〇〇ドル。しかも予約をとるには、二カ月前に電話をかける必要がある）。スケールの大きなところでは、アメリカ軍が世界中の軍隊のなかで群を抜いた充実度を誇っている。アメリカの軍事費は年間になんと約四四〇〇億ドルもかかっているのだから、およそ手軽とはいえないが、圧倒的な存在感を放っている。

企業が上質の王座につくのも、顧客が上質をきわめた商品やサービスを利用するのも、ともに素晴らしいことである。シルク・ドゥ・ソレイユは、すべてを忘れて酔いしれずにはいられないエンターテイメントの極致を提供しており、そのパフォーマンスはどのような手段を用いてもほかでは再現できないものだ。３Ｄ映画、リアリティ溢れるコンピュータゲームほか無数のエンターテイメントがあるなかでも、一〇〇ドル以上もするシルクのチケットはほとんど完売するのだから、驚異的な人気といえるだろう。シルクは二〇〇七年におよそ七億ドルを売り上げ、企業価値は二〇億ドル前後にのぼる。並のサーカス会社ではおよそ手の届かない水準である。

音響メーカーのボーズは、クワイアットコンフォート・シリーズの極上ヘッドホンで人気を博した。高級ヘッドホン自体は何十年も前から市場に投入されていた。ノイズキャンセリング技術――飛行機内で聞こえるような単調な低音を、逆位相の音波を出して打ち消す技術――を用いたヘッドホンも、一九九〇年代から販売されている。ボーズはこれらを組み合わせることにより、上質の頂点を目指したのだ。二〇〇〇年に市場にお目見えしたクワイアットコンフォート・シリーズは、すでに評判の高かったボーズのスピーカー技術と、ヘッドセットに適した最高のノイズキャンセリング技術、両方を融合させたものである。完成したヘッドホンは、iPhone用の一般的なイヤホンと比べて、機内に持ち込むにははるかに重くてかさばった。しかも価格は三〇〇ドル。

いったい何を考えているのか。不便もいいところだろう。iPhoneと同じ価格のヘッドホンをいったい誰が買うというのか――。ところが、飛行機に乗る機会の多いビジネスマンは、この気の利いた商品にポンと三〇〇ドルを支払った。フライト中に音楽や映画を高音質で楽しめるばかりか、雑音にわずらわされずにすむからだ。飛行機慣れした乗客のあいだに広まり始めると、クワイアットコンフォートは空の上のステータス・シンボルになった。一風変わったかさばる形状もむしろプラスに働いた。目立つため、まわりからはすぐに「あの人はクワイアットコンフォートを使っている」と気づいてもらえるのだ。これだけでも十分に上質感を醸し出す効果があった。ヘッドホンがオーラをまとい、それをつけたビジネス客は「ほんものを理解する上質志向の富裕層」というイメージを発するのである。すると、さらにおおぜいがクワイアットコンフォートに熱い視線を送るようになった。その後、ソニーやフィリップスほか何社もが高価なノイズキャンセリング・ヘッドホンを発売したが、いずれもボーズの上質感にはおよばなかった。

上質をきわめれば、かつてない種類のブレークスルーを市場で巻き起こす原動力にもなる。電気自動車をめぐっては、各社が何十年ものあいだブレークスルーを目指してしのぎを削ってきた。一九九〇年代には、ゼネラルモーターズ（GM）がマスマーケット向け電気自動車の開発に名乗りをあげたが、プロジェクトは二〇〇三年に中止となった。電気自動車はすべて、手軽さと上質さのどちらにも欠けるという共通の壁にぶつかった。手軽でない最大の理由は、充電せずに走行をつづけられる距離がかぎられていることだ。このため消費者は、主な移動手段として電気自動車を選ぼうとはしなかった。他方、上質にもほど遠かったが、なぜかといえば、どのメーカーも「性能がガソリン車の足元にもおよばなくてもしかたない」と開き直っていたうえに、電気自動車は小型で実用的であるべきだと思い込んでいたからだ。誰も電気自動車に心の底から期待してはいなかったのである。上質vs手軽という切り口で見るなら、電気自動車は不毛地帯にくすぶりつづけた。そして案の定、消費者からは冷めた視線を向けられた。「環境にやさしい」という理念そのものは多くの人々が支持するだろうが、市場に現れたのは、愛する理由も必要とする理由も見つからないような代物であり、まして購入意欲など少しもそそらないものだった。

二〇〇〇年以降、マーティン・エバーハードとイーロン・マスクが新鮮な視点から電気自動車の開発に乗り出した。エバーハードはそれ以前にいくつかのテクノロジー企業を創業、売却しており、そのうちの一社、電子書籍リーダー製造のヌーボーメディアは一億八七〇〇万ドルで売れている。エバーハードは、プリウスの持ち主の多くがポルシェも所有している事実に目をとめた。そして、そのような人々にとってプリウスとは、実生活での移動の足というよりも、「環境をいたわっている」というしるしのようなものだと気づいた。そこで両者をひとつにして、環境へのやさしさを連想させる極上のスポーツカーをつくろうとひらめいたのだ。(注1)

当初資金の六三〇万ドルはイーロン・マスクが拠出した。仲間とともに創業したオンライン決済サービス会社ペイパルをイーベイに売却して、巨万の富を得ていたのだ。エバーハードとマスクは二〇〇四年にテスラ・モーターズを興し、以後四年にわたってたゆみない努力をつづけた。拠点としたのは、自動車業界の聖地デトロイトから遠く離れたシリコンバレーである。二〇〇八年、「テスラ・ロードスター」という第一号モデルの発売準備が整った。外観はまぎれもないスポーツカーで見る者をしびれさせるが、走りはどんなスポーツカーとも異なる。静止状態からアクセルを踏み込むと、三・九秒後には時速約九七キロでの走行が可能である（アクセルは別名「ガスペダル」ともいうが、テスラは電気自動車だからこの呼称はふさわしくないだろう）。慣性の力により、運転者の頭部は文字どおりヘッドレストに押しつけられるが、電気モーターからはごくかすかな動作音しか聞こえてこない。三時間半かけて充電すれば三五〇キロほど走行でき、基本価格は一〇万九〇〇〇ドルである。

テスラ・ロードスターに手が届くのは富裕層だけであり、二〇〇八年の予約者リストに載るのはジョージ・クルーニー、アーノルド・シュワルツェネッガー、グーグルの共同創業者ラリー・ペイジといった面々だった。だが将来的には、「消費者に広く受け入れられた最初の電気自動車」として歴史に名前を刻む可能性が十分にあるだろう。テスラは、超上質、つまり、ガソリン車を含む広大な自動車市場で最高に輝くスポーツカーを目指すことにより、電気自動車を不毛地帯から引きずり出そうとした。テスラ・ロードスターは優れた性能ゆえに数々のメディアで取り上げられ、格別なオーラをまとった。この車種を持っているという事実はメッセージ性を帯びている。環境への姿勢よりもむしろ、社会的なステータスや社会動向へのアンテナの高さについて多くを物語るのだ。注目の的になりたいなら、ハリウッドヒルズでのパーティ会場から、音もなく快速で走り去ればいい。

テスラは今後に向けて、六万ドルのファミリー用セダンの開発を構想している。GMも電気自動車の開発プランを復活させた。テスラ・ロードスターの人気がこの先も長くつづくかは今後の成り行きを見守るほかないが、「電気自動車は環境保護に熱心な人々だけが好む中途半端なクルマではなく、優れた走行性能を示すこともできるのだ」と世間を納得させたのはたしかだ。このような発想の転換は、極上の車種の登場によってはじめて実現したのである。

「究極の携帯電話」RAZRの成れの果て

上質をきわめると貴重なニッチ市場を押さえられるのだが、その位置に長くとどまるのは難しい。テクノロジーが進歩して、上質の基準をたゆみなく引き上げていくからである。どれほど極上な商品やサービスも、同じ水準にとどまっていては安泰とはいえないだろう。いずれは、他社がより上質な商品やサービスをひっさげて現れるに違いない。

モトローラのRAZRがよい例だろう。二〇〇三年はじめ、モトローラの技術者やデザイナーは超スリムな携帯電話の実物大模型をつくり、それと同じ形状を実現するためのテクノロジーを探し始めた。モトローラの幹部だったダニエル・ニッケルは当時の様子をこう説明してくれた。「あの日のことは忘れもしません。開発チームを率いていたラルフ・ピーニが、アルミ製のいかにも安上がりな模型をシャツの胸ポケットからひょいと取り出して、『これをつくるのが僕らの仕事だ』と言ったのです」。開発チームのマネジャーによれば、RAZRの実現可能性を経営陣に納得してもらうには六カ月もかかったという。(注2)

二〇〇四年はじめ、就任まもないエドワード・ザンダーCEOがRAZRの試作品を発表したが、主立った携帯事業者はおしなべて渋い顔をし、価格が高すぎるとも感じた。光沢のあるデザインは流行をうまくとらえており、革命的ともいえるものだったが、想定小売価格は四〇〇ドルを超えていた。ザンダーCEOも、ナイキ出身の最高マーケティング責任者ジェフリー・フロストも、「価格が高くても消費者のハートを射止める、魅力溢れる機種にしてみせる」と自信をみなぎらせていた。自覚があったかどうかはべつにして、彼らは上質で勝負しようとしていた。携帯電話市場で上質の王座を獲得できる機種をつくるのだと。

モトローラは二〇〇四年秋にRAZRを発売した。第4四半期の出荷台数は七五万台である。全機種の合計が二九〇〇万台であるから、これは大した数字ではなかった。二〇〇五年には二〇〇万台のRAZRを生産する計画だったが、携帯電話事業の責任者ロナルド・ギャリックスは「二〇〇〇万台に上積みすべきだ」と強く主張し、売れ行きにも火がついた。二〇〇五年のモトローラの出荷実績は、全機種合計で前年比四〇%増の一億四六〇〇万台となり、増分のほとんどをRAZRが占めていた。

ところがRAZRの成功の陰に隠れるようにして、携帯電話事業部では本来は起きてはならないことが起きていた。ヒト、モノ、カネ、関心すべてがたったひとつの花形機種に注がれていたのだ。新たな発明を目指す試みはほとんど行われず、以後は携帯電話技術の進歩から取り残された。RAZRやその類似機種はみな第二世代（2G）携帯であり、AT&TのEdge《エッジ》のようなネットワークに対応していた。ところが二〇〇六年には、音声通信のほかデータや動画の送受信を想定した高速の第三世代（3G）ネットワークに合わせて、最新機種が市場に登場するようになっていた。「極上の携帯電話」という称号はRAZRの手からすべり落ちようとしていた。ライバル企業がより上位の機種を投入するのを横目に、モトローラはとんでもない失態を演じる。他社が猛烈な勢いで3G対応を進めるなか、RAZRを値下げして販売台数と市場シェアの拡大を狙ったのだ。そう、手軽さを目指す方向へと戦略を転換したのである。当初、この戦略は当たったように見えた。RAZRは市場に溢れ返った。RAZRの販売数は累計で一億台を突破し、業界における単一機種の販売記録を大きく塗り替えた。

ただし、これがアダとなってRAZRのブランド力は地に墜ちた。かつての極上機種というイメージから一転、「携帯事業者と契約すればタダでもらえる安っぽい機種」と見られるようになった。テクノロジーの先進性とオーラをともに失い、「極上」から転がり落ちたのである。モトローラは

RAZRに頼りきっていたため、これに代わる上質機種を用意していなかった。モトローラは市場での地位がぐらつき、その携帯電話は上質でもなく、かといって手軽でもないため、不毛地帯へと真っ逆さまに落ちていった。

こうして、全社の財務業績も二〇〇六年には急激な悪化を示した。二〇〇七年が終わるころにはザンダーCEOは更迭された。携帯電話市場の動きについていけなかったツケは大きかった。

オーラ依存ビジネスのはかなさ

上質感は今日、ビールのCM、デザイナーズ・ファッション、さまざまな高級品などを支える大切な要素となっている。私が育ったニューヨーク州ビナムトンの目と鼻の先には、かつてこの上質感を活かして一山当てた人物が所有していた石造りの豪邸がある。その人物ウィリス・シャープ・キルマーは、ごく早い時期に、ほぼオーラの力だけをもとに強い上質感を演出しようと思い立った。キルマーが販売したのは、スワンプルートという特許薬である。この本の読者のほとんどは耳にしたこともないだろうが、あれほど売れた特許薬はあとにも先にもまずないはずである。スワンプルートの逸話は、上質感の威力と移ろいやすさをまざまざと伝えるものだ。

一九世紀後半、ビナムトンとその周辺ではアンドラル・キルマーという医師が名声を博していた。氏はウィスコンシン州で薬用ハーブについての造詣を深めたり、ニューヨーク州のベルビュー病院付属医学校で学んだりした経験をもとに、同種療法《ホメオパシー》と伝来の医療をともに手がけていた。患者向けに独自の調合も行っていた。一八七〇年代には弟のジョナスもビナムトンに移り住み、兄弟は小さな工場で薬の製造を始めた。おもな薬品は、ドクター・キルマーの海草を使った心臓薬、婦人病薬、ドクター・キルマーのスワンプルート腎臓・肝臓・膀胱薬などである。ご想像のとおり、スワンプルートには何の効能もなかった。一〇種類以上の自然の生薬を配合してあったため、服用者たちは強い利尿作用の影響で腎臓や尿路の働きが改善したように感じたのだ。アルコール分が一〇%を占めていたことも、気分がよくなった一因かもしれない。

ジョナス・キルマーの息子であるウィリス・キルマーは一八八〇年にコーネル大学を卒業し、父親の勧めでファミリービジネスに参画して広告部門の責任者になった。折しも、石けんからアスピリンまであらゆる健康・衛生分野でマスマーケット向けの広告が増えていた。(注3)ウィリス・キルマーはこの潮流に乗るばかりか、さらに一歩踏み込んだ。おじの調合薬のなかで最も人気のあったスワンプルートの効能を、広告板、ポスター、チラシ、新聞広告で紹介したのだ。そのうえ『スワンプルート年鑑』という三〇ページのカラーパンフレットを年に一回発行して、星占い、夢診断、天気予報などを織り交ぜながら、あらゆるページで腎臓をいたわる大切さを説き、スワンプルートの効き目についての利用者の声を載せた。一八八〇年代に早くも、ある種の情報提供型《インフォーマーシャル》広告を始めていたのだ。

以上のような効果が重なって、スワンプルートは特効薬とみなされるようになった。世界中の人々がこの薬を、腎臓の若返りと健康増進に役立つものと信じ込んだのだ。これはまったくの見せかけであり、一〇〇%オーラだけで成り立つ商売だった。何百種類もの市販薬があるなか、スワンプルートは上質感をテコにして爆発的に売れた。ドクター・キルマー・アンド・カンパニーは海外にまで事業を広げ、ヨーロッパや南米でもスワンプルートを販売した。正確な販売数は誰も知らないだろうが、キルマー家がニューヨーク州南部で有数の資産を築いたのはたしかだ（もしウィリスにスワンプルートの〝効能〟を訊いたら、「年間百万ドルに相当する効き目がある」と答えたのではないか）。ウィリス・キルマーは豪邸を建て、新聞の発行に乗り出したほか、競走馬を育て、エクスターミネーターで一九一八年のケンタッキー・ダービーを制した。

一九〇〇年前後には、ドクター・キルマー・アンド・カンパニーは間違いなく、メルクやジョンソン・エンド・ジョンソン（J&J）にも勝る隆盛と知名度を誇っていた。ではなぜ、今日ではメルクとJ&Jだけが残っているのだろうか。一九世紀から二〇世紀へ時代が変わるころ、ジャーナリストや社会活動家が危険な食品や誤解を生みやすい商品表示などを告発するようになり、ついにはアメリカ連邦議会を動かして一九〇六年に食品医薬品品質法を成立させた。(注4)このような議論の盛り上がり、そして食品や医薬品の正確な表示を定めた法律の制定を受けて、スワンプルートを含む特許薬全般に疑いの目が向けられた。スワンプルートはオーラだけを支えにしていたため、ひとたびバブルがはじけると、それとともに上質感もはかなく消えていった。その後も事業は継続し、私の手元には一九三五年版の『スワンプルート年鑑』がある。もっとも、スワンプルートは不毛地帯へと落ち込んでもはや打ち出の小槌ではなくなり、少しずつ売れ行きが衰えていった。第二次大戦後、キルマー一族はワイオミング州のメドテック・ラボラトリーズに事業を売却した。

オーラを頼りに上質感を演出しようとする戦略は、いつの時代も変わらず用いられている。ビールの人気は一貫してオーラに支えられてきた。ユングリング・ビールを考えてみたい。ユングリング・ビールはペンシルベニア州ポッツビルで一八二九年から醸造されている。一九八〇年代はじめには、ペンシルベニア、ニューヨーク両州でしか流通しておらず、安い低級ビールとみなされていたのだが、八五年に創業家の末裔で新感覚を持ったリチャード・ユングリング・ジュニアが経営を引き継ぎ、生産能力と流通を拡大した。すると中価格帯地ビールの本命として人気を呼び、二〇〇五年ごろには全米第六位のビール会社へと躍進していた。すべてはオーラのなせる業である。

バーでユングリングを注文する人々の大多数は、ブラインド・テイスティングをしたらほかの何十という同じようなビールと区別できないはずだ。にもかかわらず、「ユングリングを注文したい」という風潮が広まり、それが洒落ているとさえ考えられるようになった。これと好対照をなすのがシュリッツである。一九七〇年、シュリッツはアメリカのビール市場で一二・一％のシェアを握っていたが、(注5)九〇年にはすっかり存在感を失っていた。中身はほとんど同じであるにもかかわらず、片や強烈なオーラを放ち、片やオーラのかけらもないのである。バーでシュリッツを注文しようものなら、仲間たちから笑いものにされるのがオチだろう。

クロックスは、ありていに言うならカラフルなガーデニング用サンダルのようなものだから、本来は靴カバーと同じくらいのファッション性しか持たないはずだった。ところが、このクロックスもなぜか人々から「格好いい」と見られてオーラをまとい、カジュアルシューズ市場で上質の階段を駆け上がった。消費者は二五ドルから七〇ドルほどのクロックスを喜んで買い求めた。ウォルマートに行けば、似たようなプラスティック製サンダルが五ドルで手に入るというのに。これは手軽さよりも上質さが選ばれた典型例である。二〇〇七年、クロックス社の売上は八億四七〇〇万ドルに達した。(注6)

二〇〇八年になると、クロックスの商品はここかしこで見かけられるようになり、履き手の個性が際立つわけではなくなった。それとともにクロックスのオーラも失われていった。ニューズウィーク誌からは、「クロックスを履くのは流行に遅れた人たちだけだ」と揶揄される始末だった。売上の急減、ひいては株価の急落が起き、二〇〇八年中盤には従業員のレイオフが始まった。誰もがクロックスは裸の王様だったと気づいた。これはオーラをよりどころとする商品やサービスにとって、最も恐ろしい事態である。

＊＊＊

上質の頂点に君臨しつづけるのは果たして可能だろうか。

コーニングはその可能性を感じさせる。ただし、長期的な視点にもとづく発想と継続的な投資や努力が欠かせないほか、目に見えるたしかな競争優位を土台としているほうが、頂点から転がり落ちるおそれは小さいだろう。スワンプルートやクロックスの事例からもわかるとおり、オーラへの依存度が高いほど、その商品やサービスの人気ははかないものである。

産業界で上質さの本質を知り尽くした人物といえば、カジノ&リゾート経営者のスティーブ・ウィンを置いてほかにいないだろう。ウィンは、父親がアメリカ北東部で経営していたいくつものビンゴ遊技場《パーラー》を引き継ぎ、それを担保にして一九六〇年代にラスベガスのフロンティア・ホテル・アンド・カジノに少額出資した。やがてゴールデン・ナゲットの経営支配権を手にすると、むさくるしいカジノを豪華リゾートへと衣替えした。八〇年代には、六億三〇〇〇万ドルを投じてラスベガスの大通り沿いにミラージュ・ホテルを建設した。規模といい、豪華さといい、当時のラスベガスでは比類ないものだった。次に、同じ大通り沿いにトレジャー・アイランドを設け、さらに一六億ドルの総工費をかけてベラッジオを建てた。二〇〇〇年代に入ってからは、以上すべてをかすませてしまうようなウィン・ホテルを、二七億ドルを費やして完成させた。

ウィンはホテル&カジノを建てるたびに、ライバルをわずかではなく圧倒的に引き離しにかかった。そして極上の地位を手に入れたのだ。そのつど、ライバル勢はウィンと肩を並べるか、少しばかり上を行く戦略をとった。これも一種のテクノロジーの進歩といえるのだが、ウィンは判で押したように、ほかのホテル&リゾートをはるかに凌駕する構想をかたちにし、極上の地位に返り咲くのだった。もちろん、多大な費用をともなうリスクの大きな賭けばかりである。それでもウィンは、前人未到の領域を目指しつづける。これこそが極上に到達するカギであり、ウィンの強さの秘密もここにあるようだ。

　コンピュータソフト大手アクティビジョンのCEOにして、ウィンの養子のような存在でもあるボビー・コティックは、「スティーブ（・ウィン）がミラージュの構想を明かしてくれた時のことは、今でも覚えています」と言っていた。ビバリーヒルズのコティック邸でインタビューをしているあいだ、話題は何度となくウィンへと戻っていった。「彼はまだ、土地さえ購入していなかったんですよ。それなのに、床はブロンズのはめ込み模様にして、チェックイン・カウンターの後ろには水槽を置くんだと思いをめぐらせていました。そして、そのとおりのものを完成させたのです。彼は、頭のなかで想像の翼を広げるだけでなく、実行に移すことができるのです。いつも欠かさず、どうやって業界最高の利幅を得るか、どうやって利益を最大化するか、知恵を絞っていました」。

　ウィン自身も二〇〇七年に、ABCテレビの「ナイトライン」のインタビューにこう答えている。「大切なのはカジノではなくそれ以外です。スロットマシンになびく人はいません。余暇ができたら、異郷の地を訪れていつもよりも心はずむ豊かな経験ができる、おそらくは甘美な、あるいは楽しい経験ができる——そんな思いによって人々は行動するのです」。本音では、「（ウィンが経営するホテルを選べば）ほかのホテル＆リゾートよりも素晴らしい経験ができるという思いによってね」と言い添えたかったのかもしれない（注7）。

　ウィンは強烈な本能に突き動かされて上質を目指し、その姿勢は自身の事業ばかりかラスベガス全体に影響をおよぼした。ミラージュ、ベラッジオ、ウィンといったホテルの誕生をきっかけに、ラスベガスは極上を求める人々を惹きつけるようになった。あまりにまばゆい、めくるめく街であるため、決してほかの地に再現などできはしない。ギャンブルをする場所はいくらでもある。豪華ホテルもあちらこちらにある。しかし、ラスベガスを訪れる人々を待つのは、ほかの地ではできないいわば異次元の体験なのだ。

コティックはこうも述べた。「ひとつの都市をまるごと別世界へと変えてしまう、そんな人物と知り合い、影のように寄り添っていると、何をするにしても並大抵ではない水準を目指さなくてはいけないと考えるようになります。私が『もっと大きな成功を手に入れなくては』と思わずにいられないのも、だからでしょう」。

極上は簡単に実現するようなものではない。しかも、誰かに追いつかれたら、さらなる高みを目指して額に汗する必要がある。

第6章 手軽の頂点

ディズニーランドよりも広く、しかも家から近い

ラトガーズ大学に在学中の一九八一年、私はニューヨーク州トロイのレンセラー工科大学に旧友デップを訪ねた。デップはエンジニアリング学科に在籍するとても真面目な秀才だった。ところがアパートの部屋に足を踏み入れると、彼女はうきうきした様子で、ケーブルテレビで当時、始まったばかりの音楽チャンネルＭＴＶに釘づけになっていた。「スクリーンから目が離せないの」。生まれてはじめて、大好きな音楽を視覚をとおして堪能できるようになったのだから、夢見心地だったのだ。デップのほかにも何百万人もが同じように感じたようである。ＭＴＶはまたたくまにカルチャー旋風を巻き起こし、音楽マーケティング、ファンとのつながり方などを変えた。一流アーティストの定義さえも書き換えてしまった。音楽映像の影響により、ビジュアル受けを狙うことがとほ

うもなく有利に働くようになったのだ。

ではMTVの成功は何によってもたらされたのだろうか。上質さか。あるいは手軽さか。「二四時間の音楽放送」に着目するなら、ほかの選択肢がラジオしかなかった当時、上質さを武器に人気を博したといえそうだ。MTVは音楽と映像を組み合わせてより豊かな鑑賞体験を生み出したのだと。ただし、設立者のボブ・ピットマンの意図はべつのところにあった。MTVの持ち味を「ポップスターが歌い演奏する姿をこの目で楽しめる」ことだと考えていた。MTVの開始前も、「アメリカン・バンドスタンド」、「ソウルトレイン」、各種バラエティショーなどが、人気アーティストの短い映像を流していた。だが、番組のところどころに織り込まれるだけなので、見逃しがちだった。「ポップスターが歌い演奏する姿をこの目で楽しむ」ためには、コンサートという「質の高い経験」が選択肢としてあり、ピットマンもこれに気づいてはいた。しかし、それでは手軽ではない。MTVはラジオと競争するのではなく、アーティストの舞台での姿を見る機会があまりに得がたい現状を打ち破るのだ——。ピットマンは市場の空白を埋めようと心に決めた。「MTVはテレビの申し子です。手軽に音楽を楽しめるかどうかがすべてでした」（注1）。

スティーブ・ウィンが上質をきわめたのに対して、ボブ・ピットマンは手軽をきわめた。ピットマンはこの三〇年のあいだに「MTV人気」という社会現象を生み、AOLの大躍進に一肌脱ぎ、さらには不動産仲介のセンチュリー21やテーマパークのシックスフラッグスなど、一見したところ共通点のなさそうな諸事業の拡大にも寄与した。読者のみなさんにとっては意外かもしれないが、ピットマンから見ると、これらの事業はすべてひとつの概念で結ばれている。「どれもみな手軽さというコンセプトに関係しています。どんな事業であっても、ライバルを凌ぐ手軽さを実現すれば勝者になれるのです」。

ピットマンは現在パイロット・グループという投資会社を経営しており、私はマンハッタンのロックフェラーセンターにある彼のオフィスで話を聞いた。デスク脇の棚には、MTV・ビデオ・ミュージック・アワードの受賞者に贈られる有名な宇宙飛行士の小像、MTVのファッション業界への貢献を称えて与えられた賞、「ミシシッピ州ジャクソンでは、原住民がビジネスの殿堂に名前をつらねた」と刻印のあるプレートなどが飾られていた。ピットマンは彼なりの流儀により、上質か手軽かの二者択一をヒントにして自身のキャリアを組み立て、つねに手軽をきわめる方法を探ってきた。

一九八〇年代、ケーブルテレビの普及を追い風にして、CNN、HBO（ホームボックスオフィス）、MTVのようなすきま市場を狙った二四時間放送局が開局した。これにより、好きな時に好きな種類の番組を観ることができるようになった。たとえば、「CBSイブニング・ニュース」の放送開始時間を見計らってテレビをつける必要がなくなり、CNNにチャンネルを合わせさえすればいつでもニュースが流れてくるのだ。音楽愛好者のあいだではMTVが、「ひいきのアーティストの演奏を目と耳の両方で楽しむには、何より簡便な方法だ」という評価をすぐさま確立した。

ピットマンは番組づくりの天才といえ、ジャクソンで暮らしていた十五歳の時にディスクジョッキーの仕事を始め、二十四歳でニューヨークのWNBC－AMに番組制作ディレクターとして採用された。これを呼び水にしてテレビの世界へと転じ、音楽チャンネルを設けようとしていたワーナーアメックスに番組制作の責任者として招かれた。そしてMTVを開局してすぐさま世の中の人々を虜にしたのだった。開局直後、MTVの契約世帯は六〇〇万だったが、数年後には二五〇〇万世帯にまでふくらみ、なおも増えつづけていた。

一九八〇年代終わり、ピットマンが在籍していたワーナーはタイムと合併した。新生タイムワーナーはシックスフラッグスを傘下に置いており、ピットマンはそのCEOに抜擢された。本人の話からは、彼が頭のなかでテーマパークの上質さと手軽さを天秤にかけていたことが伝わってきた。テーマパーク業界ではディズニーが極上の座を揺るぎないものにしており、その上を行く方法は見つかりそうもなかった。上質セグメントでディズニーを打ち負かすのは不可能だったのだ。では、シックスフラッグスはどんな競争戦略をとるべきか。ピットマンの答えは「手軽さで勝負する」というものだった。そこでテーマパークをさまざまな地域に開園して、より多くの人々にとって訪れやすい場所にした。しかも、ディズニーと比べて入園料が安く、すいていた。ピットマンの言葉を引こう。「私たちは『ディズニーランドよりも広く、しかも家から近い』を謳い文句にしました。上質さではディズニーに太刀打ちできなくても、手軽さでは勝っていました。『身近なテーマパーク』を目指した結果、年間の来園者数は一七〇〇万人から二五〇〇万人に増えたのです」。

それから数年後の九五年、ピットマンは全米で不動産仲介を行うセンチュリー21のCEOに就任した。ここでもまた、超手軽の実現を目指して、不動産情報、住宅ローン、引っ越しプランなど、住宅購入にともなうすべてを一手に扱う「ワンストップ・ショップ」を築いた。当時はウェブが普及する少し前であったため、物件周辺の学校について基本的な情報を集めるのさえ容易ではなかった。そんななかセンチュリー21は、購入者のニーズすべてに応える唯一の不動産業者であろうとした。「『いかに便利であるか』だけを考えて戦略を立てました」。

ピットマンは次に、AOLのスティーブ・ケースCEOから同社のナンバー2として引き抜かれた。AOLはすでにネット上で最も使いやすいという定評を得ており、世界最大のオンラインサービス企業にのしあがっていた。初期の競争相手であるコンピュサーブやプロディジーを横目に、手軽さをとことん追求して誰でも使えるサービスを実現したのだ。それでも九〇年代半ばには、あまりの急成長がアダとなってサービス面のトラブルが増えていた。しかも、機能追加を繰り返したせいでむしろ使いにくくなるおそれも生じていた。メディアからは叩かれ、利用者はほかのサービスへの乗り換えを検討していた（当時のAOLは必要とされてはいたが、愛されてはいなかったのだ）。

スティーブ・ケースは、当人に自覚があったかどうかはべつとしても、絶妙のタイミングでまさにうってつけの人物を登用したのだった。AOLを「使いやすさ」という原点へと回帰させてくれる人物である。「技術陣とやり合ってばかりでした」とはピットマン本人の弁である。「『その案を採用すれば簡単になるのか』と訊くと、相手は『いいえ、こちらのほうが望ましいのです』と答えます。『簡単かどうかと訊いているんだ。簡単でないなら、話を聞きたくもない』。AOLはどこよりも手軽でなくてはなりませんでした。勝負はいかに使いやすいかで決まるのですから」。

ピットマンの功績もあり、ＡＯＬは好調さを取り戻した。彼の在任中に契約者数は六〇〇〇万人から三〇〇〇万人へと増えた。二〇〇〇年、ＡＯＬは大企業となって飛ぶ鳥を落とす勢いだったため、タイムワーナーとの合併はじつに一八〇〇億ドル規模のビッグディールだった。

周知のように、この合併は不幸な結果に終わり、ピットマンはＡＯＬタイムワーナーを去ってパイロット・グループを設立し、新興企業への投資を手がけるようになった。投資先のなかでは、流行情報をメールで配信するデイリー・キャンディ、音楽系ＳＮＳのｉＬｉｋｅ、オンラインテレビのネクスト・ニュー・ネットワークスなどが躍進している。ピットマンはどの会社でも手軽さを飽くことなく追求してきた。彼から資金を引き出したいなら、使いやすさに焦点を当てた提案書を用意するのが得策だろう。何しろ彼は「私が探求しているのは、消費者にとって何が手軽であるかということです。頭のなかはこのコンセプトでいっぱいです」と言っているのだ。

＊＊＊

手軽をきわめた商品は一般に利幅は薄いが大量に売れる。たいていは、どこでも見かける代物だ。うっとりするような経験をもたらすものでもなければ、オーラや個性を放つわけでもない。素敵な経験になど少しもつながらず、個性を際立たせるのにまったく役立たない場合もある。手軽をきわめた商品やサービスは、必要とはされても、愛されはしないのだ。消費者の習慣の一部になればそれだけで御の字である。習慣になった商品やサービスはやすやすとは手放せないだろうから。

外食業界では一九七〇年代にマクドナルドが手軽をきわめて大成功した。どこにでも店があり、価格は安く、注文などの手順は簡単で時間もかからない。店はこぎれいでそつなく運営されており、店員も親しみやすい。外で手っ取り早く空腹を満たすための最も簡単な手段である。たしかに、長い歳月のあいだには数々の競合ファストフード店が現れたし、批判も浴びせられている。「マクドナルドを愛している」という人は「歯医者さんに行きたくてたまらない」という人よりも少ないくらいだろう。にもかかわらず、マクドナルドはいまだに手軽の頂点から陥落せずにいる。まさに「マクドナルドは癖になる」わけだ。

一九〇八年に生産が始まったT型フォードは、「世界初の手の届くクルマ」という位置づけで成功した。派手さに欠け、ボディカラーは黒一色。だが、革新的な量産技術の恩恵によりかなりの台数が流通し、価格も低く抑えられた。つまり、T型フォードは入手しやすく、価格面でも中産階級にとって大きな負担にはならなかったのだ。

サウスランド・コーポレーションはセブン‐イレブンを展開して、必需品を購入するきわめて手軽な場所を提供し、街角の個人商店を廃業へと追いやった。

デュポンは一九四〇年、絹のストッキングよりもはるかに手軽なナイロン・ストッキングを発売した。ナイロン製はじつは絹製よりも値が張ったのだが、長持ちするうえ手入れが楽だったため、長い目で見ればむしろ安上がりだった。ナイロン・ストッキングは、発売から二年で靴下市場の三

○%を占めるまでになった。(注2)

とはいえ、手軽さを追い求めるうえでは鬼門もある。ユーゴ・アメリカは一九八五年、ユーゴスラビアの自動車メーカー、ツァスタバ製車種の輸入に乗り出した。きわめて手軽なクルマを消費者に提供しようという狙いだった。店頭表示価格は三九九〇ドル。アメリカ市場では破格の安さだった。ユーゴ・アメリカは九〇の販売代理店と契約を交わし、当初販売分の一五〇〇台すべてが売約済みとなった。ところが消費者が実際に乗ってみると、事前の印象ほどは手軽でないとわかってきた。ポンコツで故障が跡を絶たなかったうえ、代理店のサービスは劣悪だという見方がもっぱらだった。ほどなく、ユーゴが販売するクルマをめぐって数々のジョークが生まれた（「どうしてリアウィンドウに霜取り装置がついているのかって? クルマを後ろから押すときに手を温めるためさ」「クルマの価値を二倍にするには、ガソリンを満タンにするだけでいい」）。価格は手軽だったかもしれないが、オーナーにとっては不便もいいところだった。ユーゴ・アメリカは九二年に経営破たんした。(注3)

手軽であることを目指してつまずいた事例をもうひとつ紹介しよう。一九九〇年代末、資金豊かなネットベンチャーのウェブバンが、食品小売への参入を思い立った。食品小売店の使い勝手は何十年ものあいだあまり向上していなかった。消費者はクルマで店を訪れ、店内を歩き回って品物を選んではカートに入れ、レジに並び、ショッピング袋をクルマのトランクにしまい、家に着いたら荷物をおろすのだ。ウェブバンは、これらの手順すべてを省けば、きわめて便利な食品小売店になれるだろうと目論んだ。ウェブ上で注文を受け、自宅まで配送してキッチンカウンターの上に並べればいいだろう。こうして、主要大都市すべてに、一カ所で従来の小売店何十軒分もの注文をさばけるような巨大流通センターを設ける構想を立てた。このアイデアは成功間違いないように見え、九九年半ばには、CBS、ナイトリッダー、主力ベンチャーキャピタル数社から合計一億二〇〇〇万ドルもの資金が集まっていた。

ところがいざサービスが始まってみると、消費者は「さほど使い勝手はよくない」と感じた。利用者のほとんどはネットショッピングに慣れておらず、食品をネット上で買うとなるとなおさらだった。利用開始の手続きをするだけでも気が重く、ひどく時間がかかった。配送時間も、仕事から帰宅したあとなどの便利な時間帯をはずれることが多かった。注文の品が届いてみると、果物や加工肉のなかには思っていたものと種類が違ったり、店頭でたしかめて買った場合よりも品質が劣ったりする場合もあった。多くの利用者は、一部の品については「ウェブバンからは買いたくない」と思うようになり、結局は旧来型の小売店にも通わなくてはならないと気づいた。これでは暮らしは大して便利にならなかった。開業から一年半が過ぎた二〇〇〇年、カリフォルニア州オークランドの流通センター第一号は稼働率が三〇%にとどまっていた。巨大施設のコストを回収できるだけの顧客がつかず、損失が積み上がっていく一方だった。二〇〇一年七月、ウェブバンは無期限の営業停止を発表した。(注4)

ユーゴ・アメリカは価格、ウェブバンは時間の節約をそれぞれ売りにして、超手軽を実現しようとした。両社が失敗したのは、手軽さがいくつもの要素で成り立つことを理解していなかったからだ。入手や利用のしやすさを実現するためには、必要な領域すべてに秀でていなくてはいけないのである。

銀行幹部が理解できなかったＡＴＭの価値

産業界には、経営陣の目が節穴で社内のイノベーション成果を必ずしも重んじていなかったにもかかわらず、手軽をきわめて勝ち組になった企業がたくさんある。

ＡＴＭは昔の銀行のお偉方から見ると、手軽すぎてかえって気の利かない機械だったようだ。今日でこそ、現金を引き出すにはＡＴＭを使うのが何より簡単な方法だが、以前は銀行の営業時間に窓口で手続きをする必要があった。旅先にはトラベラーズチェックを持っていかなくてはならなかった。これら不便なサービスはＡＴＭの登場により廃れたが、これは銀行の上層部にとってはまったく予想外の展開だった。上質な対面サービスで勝負しているつもりでいたからだ。映画『素晴らしき哉、人生！』の主人公ジョージ・ベイリーが経営する小さな銀行のように、込み入った金融サービスやさまざまな取引関係を提供しているのだと。しかし、ほとんどの消費者にとって銀行は、さしあたって使わないお金を安全に預けておく場所である。たったそれだけだ。上質なサービスなどどうでもよかった。銀行はどこもドングリの背比べだから、特定の銀行との取引を誇る人などいなかった。利用者が切実に望むのは、ひとつには必要な時にすぐに現金が引き出せることだった。

手軽であることが望まれていたのである。

一九六〇年代、ドキュテルという小粒な会社がドン・ウェッツェルの尽力によりATMを発明した。当時はまだATMの構想そのものが突飛なものに思えた。ふつうの人々は、コンピュータや洗練された機械を使うことなどなかった。パソコンやビデオ・カセット・レコーダーはもとより、電卓さえもなかった。電話機はダイヤル式だった時代である。職場で使う洗練された道具といえば、一般にはせいぜいのところタイプライターくらいだった。銀行の幹部たちは、「お金のように大切なものを機械に扱わせて、利用者に信用してもらえるだろうか」と首をかしげた。

ドキュテルは銀行の上層部からの抵抗に遭った。その背景には、利用者は窓口係との対面でのやりとりを強く望んでいるという思い込みがあった。ウェッツェルは、アメリカ歴史博物館のインタビューにこう答えている。「銀行のお偉方の口癖はこうでした。『お客さまはスージーをずっと前から知っていて、彼女が応対すると安心するんだ。スージーも接客の仕事が気に入っている』……ですが、事実はまったく違いました。スージーは利用者を覚えておらず、私も窓口係の顔や名前を記憶していませんでした。いつも同じ窓口を利用するわけではありませんし、とくに、待ち行列の短い窓口があればそちらに並びます。係が誰かなど少しも気にかけませんでした。ですから、お偉方は見当違いをしていたのです。苦労の末に『手軽なこの機械は利用されるはずですよ』と納得いただいたら、それからはトントン拍子でした」。

ただし、普及までには期間を要した。アメリカのATM第一号は、一九六九年にニューヨークのケミカル銀行で稼働を始めた。七三年には稼働数は二〇〇〇台に達した。普及にはずみがついたのは八〇年代、多くの利用者が銀行の支店に行くよりもATMを好むことがはっきりしてからである。八六年には全米で六万四〇〇〇台が設置されていた。(注5)今では、世界中の銀行、小売店、ガソリンスタンド、ホテルなどにATMが設置されている。北京の紫禁城にさえも。ATMは、超手軽な発明成果としておそらく歴史に残るだろう。

ウォルマートのマンハッタン進出計画はなぜ頓挫したか

手軽の頂点に輝いた小売企業といえば、ウォルマートを忘れるわけにはいかない。ただしそのウォルマートも、上質さと手軽さのはざまで中途半端な動きをして苦い教訓を学んだことがある。

ウォルマートの創業者サム・ウォルトンは、都市部以外の地域に店舗をオープンした。従来は、あちこちに散らばるいくつもの店をクルマで回らなくては、必要な品を揃えられなかった地域にである。それら旧来の店は規模が小さく購買力が弱いため、価格はたいてい高めだった。家のすぐ近所に日用品を扱う店があればとても手軽だが、都市部以外の地域で日用品を買うには、一般には値段が高くて品揃えの少ない店をいくつもめぐらなくてはならず、時間がかかるのだった。

ウォルマートは巨大なスーパーマーケットを開店し、近隣の何十という店を束ねたよりも多くのアイテムを扱った。規模の拡大とともに購買力も増したため、仕入れを値切ることができた。ウォルトンは一九六二年の開業時から安売り店を目指していた。しかし、ウォルマートが繁盛したのは、たんに価格が安かったからではない。生活必需品をひととおり購入するには──とりわけ都市部以外では──群を抜いて使い勝手がよかったからだ。価格もその一因ではあったが、いくつもの店を回らなくても用が足りるようにして買い物客の負担を軽くしたことも効いた。ウォルマートの店舗は一九八〇年には三三〇を数え、九〇年には一五〇〇を超えていた。二〇〇五年前後には世界各地に合計七〇〇〇店以上を展開し、年間売上は三〇〇〇億ドルを突破していた。

ところが二〇〇〇年ごろ、ウォルマートは迷走し始めた。長年にわたって超手軽路線を守っていたのに、そこからはずれるような動きを見せたのだ。たとえば、ニューヨークやシカゴなど大都市の中心部への出店を目指した。ニューヨークのマンハッタンでは、わずか数ブロックに何百もの店がひしめき合っているため、わざわざ中心部のウォルマートまで行くのは、近くの店でお目当ての品を探すよりも不便かもしれない。都市部ではウォルマートの利点がすべて活きるわけではないのだ。都会に住む人々は、ウォルマートの出店を必ずしも歓迎しないようだ。実際、ニューヨーク市民は出店に反対した。CEOのリー・スコットはつむじを曲げて、ニューヨーク・タイムズに「無理して出店する意味はなさそうだ」と語り、(注6)二〇〇七年、ウォルマートはニューヨーク進出を断念した。じつのところ、自社の黄金則に忠実でありたいなら、はじめから都市部への進出などすべきではなかった。

これと相前後して、値段が高めの洒落たアパレルの取り扱いも始め、ヴォーグのような高級誌に広告を出した。ウォルマートは、安売り店としてのルーツを忘れ、オーラを身につけようとしているように見えた。しかし消費者はなびかなかった。ウォルマートには安価な品だけを求めていたのだ。

案の定、成長がとまって株価は大きく下落した。二〇〇四年に六〇ドルだった株価は二〇〇七年末には四三ドルになっていた。このためウォルマートは都市部への進出プランを撤回し、ファッション広告の出稿や高価なアパレルの取り扱いもやめて、「お金を節約し、よりよい暮らしを」をスローガンに新しい広告キャンペーンを始めた。(注7) このキャンペーンにより、超手軽な小売店としてのウォルマートの位置づけが改めてはっきりしたほか、景気が悪化するなか安値に惹かれる人々が増えたことも追い風となり、客足が戻ってきた。売上も増加へと転じ、二〇〇八年夏に株価は六〇ドルを回復した。

＊＊＊

手軽さで勝負するには、長い期間にわたって骨を折る覚悟をしたほうがよい。一朝一夕では実現しないのだ。テスラ・モーターズのロードスターの例などからは、上質をきわめた商品やサービスは短期間に生み出せるように思えるかもしれない。だが、手軽をきわめるとなると、マスマーケット受けしなくてはならず、そのためには大量販売が求められる。ウェブバンは創業当初から規模を追い求めたが、これは多大なコストを要した。結局、すぐには顧客が集まらなかったせいで重い事業負担に押しつぶされてしまった。他方、サム・ウォルトンは一店舗から始め、ゆっくりと事業を拡大していった。

スカイ・デイトンは一九九四年、手軽さというコンセプトでアースリンクを創業した。デイトンは技術者ではなく、若いながらも目端の利く実業家だった。十九歳だった一九九〇年、ロサンゼルスにカフェモカというアートギャラリー兼コーヒーショップを開業した。これが人気を集め、ほどなく長蛇の列ができるようになった。その数年後、デイトンは普及し始めたばかりのインターネットの話題を耳にした。接続しようとしたところ八〇時間もかかり、ひどく苛立ったという。そして、もっとよいサービスを提供できるのではないかと感じた。こうしてアースリンクの起業を決意したのだ。

「インターネット・プロバイダーはアースリンクだけではありませんでした」。UCLAビジネススクールでおおぜいを前にインタビューした折、デイトンはこう語った。「起業から半年後には、ロサンゼルスだけでも優に一〇〇社はライバルがいましたよ。ですが、当社のほうがサービスで勝っていたのです」。

デイトンは最初のビジネスプランを取り出した。多くても一〇ページくらいの薄いものだった。「たったこれだけです。これで一〇万ドルの資金を集めました。出資を求めて投資家のもとへ向かう道すがら、オフィス用品店に立ち寄って『取扱厳秘』のスタンプを買って、ここにこうして押したんです」。彼はマーケティングについてのページを開いて中身を読みあげた。「当社は以下を重点的に提供して顧客獲得を目指す予定です。既存サービスよりも①低い料金、②広いサービス対象地域、③高速の接続、④痒いところに手の届くサービス……これだけです。これが私たちの方程式です。最初のころの広告には、『あなたをネットの世界へ』というコピーを添えました」。

アースリンクはネットの利用をより手軽なものにしたいと考えた。デイトンはそのための条件が何かを見抜いていた。料金が安く、どこでも簡単に使えなくてはならなかった。そう、サービス対象地域が広く、顧客サービスが手厚い必要があったのだ。

一九九五年にネットの普及に拍車がかかると、アースリンクの事業は週に一五〜二〇%もの勢いで伸びた。「簡単で手軽」というデイトンの当初からの方程式を守りつづけ、全米で五指に入るプロバイダーへと躍進した。だが、その地位を長く保つことはできなかった。いつでもどこでも使える手軽の王者にはなれず、利用者を病みつきにする域には達しなかったため、AOLの前に敗れ去ったのだ。出だしは悪くなかった。しかし、九〇年代半ば当時、ウェブサイトはいまだ未成熟であまり使いやすいものではなかった。そこでAOLは、人々をネットの世界へ導くだけでなくその一歩先を行った。利用者向けに独自のコンテンツを作成して、コンテンツの探索や利用を容易にしたのだ。しかも資金力にものを言わせて、ほかのどのプロバイダーよりも多くのアクセスポイントとアクセス回線を用意した。モデムを使って電話回線でネットに接続していた時代には、これは生命線だった。そのうえAOLは、サービスに加入してからネットに接続するまでの手順を示したディスクを、無料で全米に配りまくった。アースリンクは「手軽さ」をめぐってAOLと長く苦しい戦いをした末に敗れた。もしかしたら少しばかり愛されすぎて、その反面、十分には必要とされなかったのかもしれない。片や、AOLは人々を癖にするのに成功して勝者となった。

テレビから顧客を取り戻すために

新しい商品やサービスはたいてい上質でも手軽でもない不毛地帯から出発する。そこからしだいに這い出したものが世の中の支持を集める。一例として、家庭で手軽に映像を楽しめることを売りにしたテレビは、一九五〇年代に爆発的に普及を始め、映画の興行収入を激減へと導いた。

一九三〇年代の大恐慌時、プロの手による娯楽を楽しもうとするなら、大半の消費者にとって選択肢は事実上二つにかぎられていた。映画を観に行くか、家で「エイモス&アンディ」「ジャック・アームストロング」「オール・アメリカン・ボーイ」などのラジオ番組を聴くかである。上質vs手軽という切り口で見るなら、映画はマスマーケット向け娯楽市場で上質をきわめ、ラジオは手軽をきわめていた。映画を観るには劇場に足を運び、お金を払わなくてはならないが、耳と目の両方を存分に楽しませてくれる。ラジオは自宅にいながらにして無料で聴けるが、いうまでもなく音だけの世界である。

一九三九年、ニューヨーク世界博の開会式でフランクリン・ルーズベルト大統領が演説を行い、RCAの受像機をとおしてその姿が映し出された時、一般の人々にテレビというものの存在が強く印象づけられた。初期のテレビは、五インチないし七インチの小さな白黒画面しかなく、番組数もごくわずかだった。およそ二〇局が実験放送を行っていたが、アメリカ政府がテレビ放送の規格を定める四一年までは、二〇局すべてにつながるテレビは皆無だった。しかも値段が高く壊れやすかった。四〇年代のテレビは、質の面でも使い勝手の面でもラジオと映画にかなわなかった。このように不毛地帯にくすぶっていたため、売れ行きも思わしくなかった。四〇年から五〇年にかけては全米の三八〇〇万世帯に浸透したにすぎず、世帯普及率はおよそ九%にとどまっていた。

それでもRCAやゼネラル・エレクトリック(GE)は、テレビの拡販に向けて野心的なプランを立てていた。今から振り返ってみるとじつに興味深いのだが、これら企業はテレビをラジオとの対比でより上質なものと位置づけていた。RCAの創業者デービッド・サーノフは、「テレビは音だけでなく映像も提供できるのだ」と高らかに謳った。GEはテレビの黎明期に「遠くの出来事を同時進行で目にすることができる!これこそ、テレビならではのかつてない興奮だ」という広告を出した。(注8)これら企業は、家庭の外での娯楽を眼中に置かず、プロによる娯楽を家庭で楽しむための市場に注力していた。上質さと手軽さの二軸で考えるなら、テレビを上質な選択肢と位置づけていたのである。

ところがテレビは進化をとげるに従い、映画のロードショーと比べて手軽な選択肢と見られるようになっていった。一九三九年から五〇年にかけて、ゼニス、フィルコ、モトローラなどのメーカーがテレビ製造に参入し、価格を押し下げた。この時期、六〇都市で合計一〇〇を超えるテレビ局が放送を開始したほか、政府が放送規格を定めたため、どの受像機でも地域内の放送すべてが見られるようになった。番組数もラジオに追いつくことを視野に増え始めていた。五〇年には、テレビは一般の人々に手の届く水準まで価格が下がり、入手、操作とも簡単になっていた。そのうえ、タダで見られる良質の番組が数多く提供されていたため、たいていの消費者は満足していた。映画にはかなわないとしても十分な質を備えており、映画館に行くよりはるかに手軽だった。こうしてテレビは、映画業界から顧客を奪い始めたのである。

一九五〇年、テレビを保有する世帯は全米で三八〇万だった。一年後、この数は一〇三〇万へと跳ね上がり、普及率は二三・五%となった。それから一〇年のあいだに目覚ましく普及が進み、六〇年には四五八〇万世帯に浸透して普及率はなんと八七%になった。(注9)これは映画業界の売上を直撃した。映画業界は一九五〇年に三〇億枚という空前のチケット売上を記録したが、五五年には二五億枚を割り込み、六〇年には一〇年前のおよそ半分の一五億枚へと減っていた。(注10)

テレビと張り合うために、映画はスクリーンの巨大化、カラー対応、特殊効果の採用などを進めざるをえなかった。この戦いはいまもつづいており、だからこそジェームズ・キャメロンの『アバター』に代表されるように、映画監督は3D映画の製作を熱心に進めているのだ。

＊＊＊

ポール・ケイトマンという人物がいる。彼はもともとボストンで不動産業を営んでいたのだが、妻と事業パートナーを乳がんと飛行機事故で相次いで失い、この悲劇から立ち直るためには仕事を変える必要があると考えた。時に一九九〇年代はじめ。折しも、グランジ・ロック、湾岸戦争の「砂漠の嵐」作戦、フローズンヨーグルトを提供するチェーン店のTCBYなどが世間の話題をさらっていた。ケイトマンはフローズンヨーグルト・チェーンに興味をそそられ、この手の商売の有望度を調べたのだが、フローズンヨーグルト、アイスクリームともに一筋縄ではいきそうもないとわかった。たとえば、フローズンヨーグルトの機械は一度に二種類のフレーバーしかつくれなかった。アイスクリームはというと、大きな工場でまとめてつくり、何カ月も倉庫で保管したあと、マイナス三〇度近くに保った状態で店舗に運ぶのが通例だった。温度がこれより上がると、プレイ・ドー（子ども用の小麦でできたカラー粘土）を冷やしたような味になってしまう。

ケイトマンはいかにも新規参入者らしく、現状を調べたうえで「新しいやり方があるはずだ」と考えた。そしてマサチューセッツ州ケンブリッジのR＆D企業プロダクト・ジェネシスと提携し、「ターボ・ダイナミック・ミキシング（瞬間攪拌）」という製法を発明して特許をとった。アイスクリームは、生クリームを氷で冷やしながらゆっくり泡立てて、空気を混ぜることによってつくるのが一般的だ。ケイトマンの新製法では、生クリームを急速冷凍しながら瞬間的に空気を混ぜるため、注文を受けてその場でつくれるのが特徴だった。

一九九二年、ケイトマンはターボ・ダイナミックスという会社を興した。九五年には、新製法に対応したアイスクリーム製造機を業務用に販売することを目的に、ゼネラル・ミルズとの合弁に乗り出した。ところが、大企業に時として見られることだが、ゼネラル・ミルズはターボ・ダイナミックスに興味を失い、九七年に合弁事業の打ち切りを決めた。ゼネラル・ミルズにしてみれば、ケイトマンの思惑をつかみきれなかったようだ。それでもケイトマンはあきらめず、自身の発明した製法に工夫を加えつづけた。

二〇〇〇年には、ニューイングランド・アイスクリームのCEOを務めていたブルース・ギンズバーグと出会う。アイスクリーム業界で二〇年の経験を持つギンズバーグは、ターボ・ダイナミックスの将来性を見込んでケイトマンと手を組むことにした。ただし、ひとつ心にひっかかりがあった。「ポール（・ケイトマン）に『アイスクリームをつくって売ろうとする人たちは、ターボなんて名前の機械には振り向かないだろう』と懸念をぶつけたところ、ポールは笑顔で『受けのよさそうな商品名を考えないとね』と応じてくれました」。ごくごくわずかな人数ながら全社総出で会議室にこもり、壁にいくつもの名称や単語を貼っていった。そのなかに「ムー」（牛の鳴き声、牛乳）と「ベラ」という言葉もあった。ギンズバーグによれば、「おばのベラの思い出が頭をよぎったので、『ムー』と『ベラ』をくっつけてみました」ということだ。こうして社名は「ムーベラ」に決まった。(注11)

事業を前に進めるために、家族や友人、富裕層、さらにはベンチャーキャピタル数社からも資金を集めた。つづく五年間は、機械の技術面を詰めて改良を重ねていった。試作品をつくり、さまざまな材料を使ってアイスクリームの仕上がりを試した。二〇〇六年にはコカ・コーラの自動販売機くらいの大きさの機械ができあがった。内部には、無菌処理パッケージ入りの液体乳製品が冷凍不要の状態で装填されていた。べつの容器には、フレーバーと、クッキーやチョコチップなどの材料が入っている。機械の正面にはスクリーンがついていて、リナックス搭載コンピュータの働きによってフレーバーの種類が表示されるようになっている。利用者は、メニューのなかから好きなフレーバーを選び、自由に組み合わせることもできる。「オレオクッキー入りの低脂肪コーヒー・アイスクリーム」なんていう注文も思いのままだ。フレーバーが品切れになると、その項目はメニューから消され、ムーベラ本社へ補充依頼がなされる。

機械の改良をさらに二年間つづけ、二〇〇八年終わりには、大学のカフェテリア、映画館、ホテルのロビー、空港などに設置する用意が整った。ムーベラには、高速道路を管轄するインドの役所からも連絡が舞い込んだ。砂漠を通る高速道路の休憩エリアなどという、ふつうだったら絶対にアイスクリームが手に入らない場所に、機械を置きたいというのだった。ムーベラは、「アイスクリーム業界に風穴をあけられるだろう」と意気込んでいる。場所をあまりとらず、操作もごくシンプルであるため、電源コンセントさえあればどこででも、何十種類ものアイスクリームをできたての状態で提供できるはずだ——。

評価を下すのはまだ早いが、ムーベラは超手軽なアイスクリーム製造機のメーカーとして業界に君臨する可能性を、十分に秘めているだろう。

第7章 奈 落

実はデジタルカメラを発明していたコダック

不毛地帯の奥底とはいったいどんな場所だろう。

その答えを知る人物がいる。アントニオ・ペレスだ。イーストマン・コダックは何年ものあいだ不毛地帯の奥底に沈んでいたが、ペレスこそ、その状況をついに打開した人物である。

ペレスは愛嬌があり、スペイン人らしい陽気な語り口が印象的である。茶目っ気たっぷりの笑顔は、ハミガキのCMにぴったりではないだろうか。ペレスはスペインのビーゴという都市で育った。地元には大きな漁港があり、漁業を営む父親を手伝って獲れたての魚を売り買いする毎日だったという。私にこう語ってくれた。「あのころの経験からたったひとつわかったことがあります。私はあの仕事を好きにはなれなかったのです。寒くて水にも濡れますし、まわりは意地悪な人たちばかりでしたから」(注1)。彼は新天地を求めてスペインとフランスで工学とビジネスを学んだ。やがてシリコンバレーの地でヒューレット・パッカード（HP）に職を得、二五年にわたって在籍した。HPのプリンター事業を立ち上げて育てた人物といっても過言ではない。CEOへの昇進を望み、その資格もあるはずだと自任していたが、会社がカーリー・フィオリーナを招聘したため一九九九年に退社した。二〇〇三年、「しばらく経験を積んだうえでCEOに」という含みでコダックに最高執行責任者（COO）として迎えられた。この会社がフィルム写真からデジタル写真への世代交代のあおりで虫の息だということは、ペレスも重々承知しており、立て直しに尽力する意味が果たしてあるのか、四カ月を費やして検討した。いわば、不毛地帯から這い上がる現実的な道筋があるかどうか、探ろうとしたのだった。

愕然とするような話だが、コダックは早い時期にデジタルカメラを発明していた。一九七五年、コダックの若手研究者スティーブン・サッソンが、不格好で何やら複雑なオーブントースター大の機械を組み立て、アシスタントをモデルにして史上初のデジタル写真を撮影した。画像は二三秒かかってカセットテープに記録され、さらに二三秒かかって再生装置からダウンロードのうえテレビ画面に映し出された。コダックの経営陣は、サッソンがつぎはぎした機械を一瞥して「机上のプロジェクトとしてはおもしろいが、それ以上の価値はない」と判断した。ただし、サッソンの考案した技術とその後継プロジェクトに関連する特許は取得しておいた。これはのちのち宝の山だと判明する。デジタルカメラが商用化されたあとは、あらゆるメーカーにロイヤルティを請求することができたからだ。

一九八〇年代と九〇年代はフィルムカメラ事業が順調だったため、コダックはデジタルカメラの脅威を感じずにいた。アナログフィルム事業から六〇%もの利ざやを得ていたうえ、九〇年代後半の株式市場の活況も幸いして、株価は過去最高値を記録した。ところが、九九年にはデジタルカメラの売上が年率四〇%近いペースで拡大していた。ひとたびデジタルカメラを手にした消費者は、以後はフィルムを購入することはない。コダックもデジタルカメラ事業に参入したが、全力投球ではなく、相変わらずフィルムに依存したままだった。二〇〇〇年を境に、フィルムの売れ行きは目に見えて減少していった。一時は八九・七五ドルをつけたコダックの株価も、九八年夏以降は右肩下がりをつづけ、二〇〇五〜二〇〇六年ごろには二五ドル前後にまで沈んだ。

ペレスが入社したのは二〇〇三年だが、読者のみなさんはおそらく、「そのころにはコダックの経営陣も、自社が真っ逆さまに不毛地帯へ墜落したことに気づいていたにちがいない」と思われるだろう。ところが、ペレスは憤懣やるかたない様子でこう語ってくれた。「入社した時、会社が掲げていたのは『フィルムの強みを伸ばそう』というスローガンでした。私の執務室にも堂々と貼ってありましたよ。真っ先にはがしましたがね。社内での話し合いはこんな説得から始まりました。『デジタル化できるものはすべてデジタル化する。いつまでに実現するかは相談の余地があるが、方針そのものは絶対に変えない』。これが第一歩でした」。

コダックは全世界で一四のフィルム工場を操業していたが、いずれも稼働率の落ち込みが目立ってきていた。ペレスは一一工場の閉鎖を決断した。

「閉鎖予定の工場に赴き、三〇〇〇人の従業員を前にすると、自己紹介に先立って『家でデジタルカメラを使っている人は起立してもらえますか』と言葉をかけました。全体の四〇％ほどがすぐに立ち上がったでしょうか。そこでこう話し始めました。『さきごろ会社の舵取りを引き受けましたアントニオ・ペレスです。当社は問題を抱えています。みなさんはこの工場でフィルム製造にたずさわり、生計を立てているはずですが、フィルムを買ってはいません。この状況でほかの人々が購入してくださると思いますか？このままでいいはずがありません。ですから正しい方向へ歩み始めるために、みなさんにも協力してほしいのです。この工場は閉鎖せざるをえません。誇りを持ってこれを実行できるよう、みなさんもどうか手を貸してください。デジタル化の潮流にはもう気づいていると思います。みなさん自身がデジタルカメラを使っているわけですから』」。ペレスはひと呼吸おいてからつづけた。「一一の工場で同じ話をしたところ、この話題は全社を駆けめぐりました。三回目からは、こちらが口を開く前から誰もが覚悟していました」。

ペレスが閉鎖に備えて各工場を回るうちに、社内には自社の窮状への気づきが広まっていった。フィルム事業を拡大するなどというのははかない夢だと、ようやく目覚めたのだ。フィルム事業はどう見ても小さなニッチ分野になりつつあった。ふいに、会社の将来はひとえにデジタル事業にかかっている、不毛地帯から這い出せるかどうかがすべてだ、という現実が見えてきた。

ペレスはこうも語った。「たいていは、尻に火がつかないかぎり立ち上がらないものです。それまでは従来のやり方をつづけるわけですよ。みんな同じです。人間も企業も国家も」。コダックのフィルム事業はじわりと衰退していた。ペレスは引導をわたす役割を担ったのだ。

コダックはこの苦境からどう抜け出すのだろうか。ペレスは「手軽さ」に舵を切ろうとしている。デジタル写真を今以上に使いやすくしようというのだ。この戦略の一端は、ボタンひとつでパソコンに写真を転送できる、操作のごく簡単なデジタルカメラづくりにも表れている。現状で最も手軽なのはカメラ携帯だとも心得ており、モトローラとカメラ携帯を共同開発する契約を交わした（ただし、この本の刊行時点ではモトローラ側の事情により計画が遅れている）。もっとも、ペレスはこれだけにとどまらず、さらにその先にまったく新しい何かを見ているらしく、いたるところにカメラがあるのが望ましい状況だと説いていた。「メガネや指輪にカメラが埋め込まれていてもいいでしょう。どんなものにも入り込めるのではないでしょうか」。カメラ携帯よりもさらに手軽な何かを発明したなら、コダックは写真市場でふたたび大きく輝くチャンスを手にするだろう。

手軽さでほかを圧倒するという戦略は、一二〇年前から脈々と息づく社風とも抜群に相性がよいはずだ。ジョージ・イーストマンがコダックを創業したのは、「写真を撮るためのごく手軽な方法をふつうの人々にもたらしたい」という思いからだった。一八七〇年代、二十四歳のイーストマンは休暇を海外で過ごそうと考え、旅先の光景をカメラに収めることを思い立った。しかしそのためには、現在の電子レンジほどもある大きなカメラを購入し、化学薬品、現像タンク、露光用のガラス板、暗室にするためのテントともども持ち歩かなくてはならなかった。あまりの厄介さに閉口したイーストマンは、三年を費やして写真乾板を発明し、薬品や感光乳剤を不要にした。写真撮影を従来とは比べものにならないほど簡単にする革命的な発明である。これを機に、イーストマン・コダック社が創業のはこびとなった。会社が発展するにつれて、イーストマンは写真の普及に力を尽くすようになった。一九〇〇年、コダックは画期的なブローニー・カメラを発売した。価格は一ドル。歴史上はじめて、一般の人々にも手の届くカメラが誕生したのだ。コダックは何十年ものあいだ「あなたはシャッターを切るだけ、あとはすべてカメラにお任せください」というフレーズを広告に用いていた。コダックはグローバル・ブランドへと大躍進をとげたが、これは手軽をきわめたからである。たしかに、かなり以前から高級カメラやプロ向けの高品質フィルムも製造しているが、つねに「写真をいかに手軽にするか」を柱にしてきたことに変わりはない（念押しになるが、アップルの例にあるとおり、一社が超手軽と超上質、両方の商品やサービスを提供するのは不可能ではない）。以上のような姿勢や方向性を取り戻すのが、まさしくペレスの狙いであるように思える。

＊＊＊

次ページのグラフにあるように、不毛地帯は便利でも特別でもないどっちつかずの場所である。映画館、音楽ＣＤ、ブルーレイディスク、電子書籍リーダー、電気自動車、フィルムカメラはみな中途半端な状態に陥っている。

もちろん、上質さまたは手軽さで圧倒的な優位に立てる企業はかぎられている。同一業界に属す

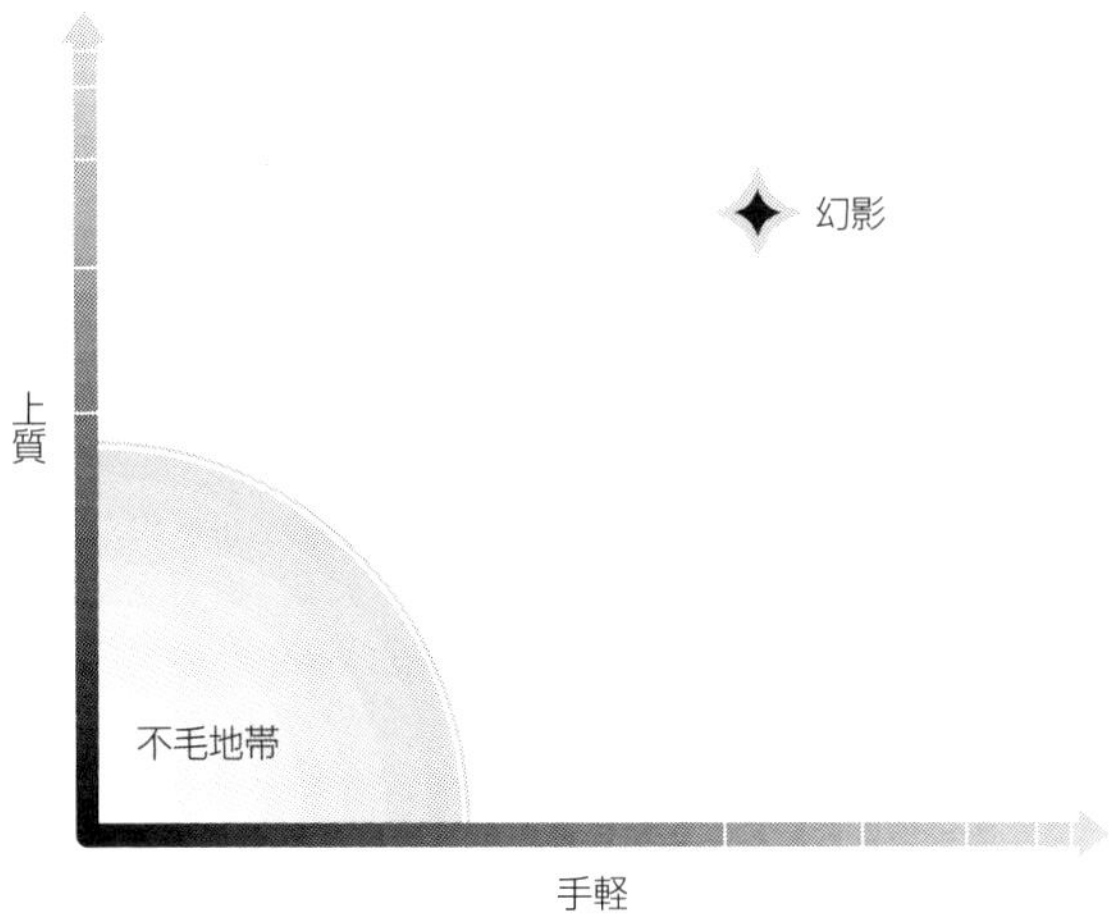

る各社を上質と手軽を軸としたこのグラフ上にプロットすると、一面に散らばるはずだ。手軽さで最上位につけることができず、それよりも少し下にいたとしても、市場からはかなりの支持を得られるだろう。上質か手軽かの二者択一という視点で見た場合、成功への道のりはひとつではなくいくつも考えられる。一例として、U2が巨大スタジアムで行う極上のコンサートは、レーザー光線や爆炎、舞台セットの入れ替えなどが欠かせず、これほどの演出ができるバンドはごくわずかなはずだ。かといって、チケット代を安くして小さな会場でコンサートを開いた場合、いくらU2よりも敷居が低く、家庭のステレオで音楽を聴くよりも臨場感があるからといって、成功するかというと、その見込みは大きくはない。サムスンの携帯電話、シャープのテレビ、ドライブイン・ハンバーガーショップ、マリオット・ホテルはいずれも、

超上質でも超手軽でもないが、どちらか一方でかなりいい線までいっているため、業績も悪くないのだろう。

ただし、上質か手軽かの二者択一を考えるうえでは許容ラインが存在する。許容ラインを下回ってしまうと、それまで消費者の心のなかにあった「愛している」「どうしても必要だ」という感情が失われる。使用頻度が低くなり、ほかの選択肢への目移りが始まる。そして商品やサービスが不毛地帯の奥深くにはまり込むと、嫌悪感さえ抱かれる。ほかの選択肢と比べて「気にさわる」「期待はずれ」という印象を持たれるのだ。ＤＶＤを使い始めた消費者がＶＨＳに抱く感情がまさにこれにあたる。

「完全な負け犬」をどうやって見分けるか

不毛地帯に生まれ落ち、一度もそこから出られない商品やサービスもある。最初から発想が間違っていた、あるいは品質が悪かったせいで、完全な負け犬になるのだ。具体例はユーゴ・アメリカの自動車やウェブバンである。ＩＢＭが一九八〇年代に市場に送り出したＰＣｊｒは、通常のＰＣより低性能でありながら値段は破格に安いというほどではなく、要するに中途半端な代物だった。これら悲惨な失敗作は、不毛地帯で産声をあげ、新しいもの好きや向こう見ずな消費者から少しばかり注目されるが、そのあとは売れ行きが伸びず、いずれ減少へと転じて市場から消えていく。悲惨な失敗例についてはあとから詳しく述べる。

ここではまず、不毛地帯に生まれ落ち、やがてそこから這い出す商品やサービスを考えてみたい。これらは、イノベーションや発明の名に値する商品やサービスでもある。

既存のテクノロジーや顧客の嗜好とあまりにかけ離れた斬新な発明は、たいていは不毛地帯の奥底から出発する。スティーブ・サッソンのデジタルカメラ第一号がこれにあたる。初期段階ではあまりに高価であるうえ、およそ実用的とはいえないため、誰も買おうとしないのだ。アマゾンのキンドルのように、マスマーケットの動きを半歩だけ先取りするような洒落た新商品は、不毛地帯から出発するものの、たいていは新しいもの好きの心をくすぐる魅力を備えている。それでもマスマーケットに受け入れられるためには、不毛地帯から這い上がる方法を探らなくてはいけない。

イノベーションの大多数が不毛地帯から出発するのなら、そこを抜け出して人気を集めるものと、ウェブバンのようにいつまでも同じところにくすぶってやがて息絶えるものとでは、いったい何が違うのだろうか。創業まもない時点のウェブバンとイーベイを比べて、先行きのちがいを見通せただろうか。将来の明暗を予見できるだろうか。

インターネット・テレビのジュースストが創業した時、メディア業界やテクノロジー業界の賢明なる経営者たちはこぞって見込み違いをした。

私は二〇〇七年末、ニューヨークのジュースト社を訪れたのだが、ドアには社名すらも掲げられていなかった。内部に足を踏み入れると、若者好みの都会的な空間が広がっていた。木材や配管がむき出しになっていて、壁には長椅子についている格子細工のような飾りが銀色に光っていた。マイク・ボルピCEOへの取材は、狭苦しい会議室で行うことになった。プラスティックでできたIKEAの安い椅子が置いてあった。

ジューストの陣容はマンハッタンとロンドンにおよそ二〇人ずつ、そのほか世界各地に合計六〇人ほどが散らばっているという。二〇〇五年、「ザ・ベネチア・プロジェクト」という仮称で呼ばれていたジューストがはじめて世の中の注目を引いた時、「インターネットを使ってテレビの世界をふたたび活気づかせるだろう」という期待が寄せられた。創業したのは、スカイプの創業者でもあるニクラス・センストロムとヤヌス・フリスである。CBSをはじめとした出資者から総額四五〇〇万ドルを集め、シスコシステムズの幹部だったマイク・ボルピをCEOとして招いた。ジューストは資金力、影響力、名声、さらには謎めいた一面を持ち合わせ、メディアを賑わす条件を十分に備えていた。プロの製作した動画をネット上で無料配信して広告から収入を得る、というのが事業の骨子である。著作権を保護し、製作者に対価を支払い、従来のテレビCMに似たものを提供するという。つまり、文字どおりインターネット・テレビである。ジューストが創業した当時、これはまったく新しいサービスだった。

メディア業界とテクノロジー業界は、ジューストは爆発的に成長するに違いない、ユーチューブやiTunesにも匹敵するはずだと予想した。ところが二〇〇八年春の時点では、ジューストのサービスをPC上で利用するためのソフトをダウンロードした人々は、累計で三〇〇万人にも満たなかった。つまり、視聴者の総数は、低視聴率で打ち切りになったドラマ「グローイング・アップ・ゴッティ」の初回放映時と同じくらいだと想像される。当時ジューストは、CBSからコンテンツの一部を提供されていたほか、コメディ・セントラルからニュース現場でのレポートを、NBAからは一週間前の試合中継の提供を受けていた。ザ・セックス・クリップス・チャンネルとモーターズ&ベイブスを目玉にしていながら、閑古鳥が鳴いていたのだから、テレビ革命とはほど遠い。いったいどうしたことだろう。ジュースト は画期的なテクノロジーをひっさげて登場した。だが残念ながら、新機軸の多くと同じように不毛地帯の奥深くから出発した。ジュースト でテレビ番組を観ても、れっきとしたテレビで観た場合のような上質な経験は得られなかった。人気番組はごく一握りにすぎず、ソフトウェアをインストールしなければならず、ふつうの人には使うのが難しすぎた。このため、一般消費者のほとんどにとって手軽ではなかったのだ。

ジュースト はテクノロジーの専門家たちを興奮の渦に巻き込んだため、創業者たちは一般の人々も夢中になるはずだと思い込んでしまったようである。大多数の人々にとっては、上質さと手軽さのどちらも足りなかったのだが、ジュースト はそれに気づかなかった。しかも、どうやって不毛地帯から這い上がればいいいか、いつまでも見極められずにいた。

ジュースト は使いやすさを実現する必要があった。お気に入りのテレビ番組を、いつでもどこでも簡単に観ることができるようにするのだ。これは従来型のテレビにはできない芸当である。全米で大反響を呼んだテレビ番組「プロジェクト・ランウェイ」の一話を、午後三時二七分に空港で足止めされて退屈した旅行者に、広告を添えて無料で視聴してもらうのは、従来型テレビにはできないことである。しかしジュースト は、サービスを簡素化するのも、人気番組のラインアップを充実させるのも、後手に回った。

そのあいだにＨｕｌｕ《フールー》がジューストを出し抜いた。二〇〇七年設立のＨｕｌｕは、テレビ放送局のフォックスとＮＢＣを後ろ盾とし、アマゾンの幹部だったジェイソン・カイラーが経営にあたっている。カイラーは「とにかく使いやすさを第一に据える」というきわめて重要な決断をした。このためには、ソフトウェアのダウンロードを不要にして、ブラウザ上でユーチューブと同じくらい簡単な操作で動くようにしなくてはならない。Ｈｕｌｕのウェブサイトは当初からすっきりしてわかりやすく、「ザ・オフィス」「30ロック」など、フォックスやＮＢＣの人気番組が盛りだくさんだったため、「インターネット・テレビといえばＨｕｌｕだ」という空気が広がった。二〇〇九年二月、Ｈｕｌｕはスーパーボウルの模様を配信し、不毛地帯に別れを告げようとしていた。他方ジューストはといえば、はるか後方でもがいていた。

「こうなるのを予見できなかったほうがおかしい」という物言いは軽薄に過ぎるだろう。ただしジューストの事例は、革新的な企業や商品が不毛地帯を抜け出せるかどうかを見極めるための注目点を、投資家や経営者に教えている。経営者は「手軽さまたは上質さを手に入れるための道筋は、はっきり見えているだろうか」と自問する必要がある。答えが「ノー」なら前途は多難だろう。不毛地帯をあとにするためには、上質か手軽か、どちらかをひたむきに目指すのが最も確実で最短の経路なのだから。

日米の電機・通信業界のトラウマ「ゼネラル・マジック」

一九九〇年代はじめ、私はゼネラル・マジックという会社を訪問した。社内には神童たちを預かる託児所のような雰囲気が充満していた。パーティションで仕切られた各人の仕事スペースには、オモチャが溢れていた。その多くは、当時公開されたばかりのディズニー映画『アラジン』にちなんだものだった。プラスティック製のロボット対戦ゲームが机の上にあるのも見かけた。泊まり込みで仕事ができるように、頭上に二段ベッドのような休息スペースを設けたプログラマーもいた。会議室にはそれぞれ、「ヨーダ」「ウィリー・ウォンカのチョコレート工場」など、映画にちなんだ名称がついていた。マーク・ポラットCEOは全身を黒で固め、禅僧のような静けさをたたえて経営にあたっていた。かつてアップルで初代マッキントッシュ開発の立て役者となったアンディ・ハーツフェルドとビル・アトキンソンが、ポラットとともに大きな役割を果たしていた。

私はこれら三氏からゼネラル・マジックの各種プロジェクトについて説明を受けた。当時はインターネットという言葉はほとんど知られておらず、一般向けメディアが「情報スーパーハイウェイ」構想を取り上げ始めたころである。ブラウザというものはいまだ存在せず、電子メール、携帯電話、オンライン・ショッピングはごくかぎられた人々にしか縁がなかった。このような状況のなか、ゼネラル・マジックは来るべきインターネット時代をかなりの程度まで見通していた。そして大胆不敵にも、いわばインターネット時代をみずから切り開こうと乗り出したのだ。

　私はポラットから、タテヨコ二〇センチ前後の長方形の機器をわたされた。携帯通信網にワイヤレスで接続するのだという。スクリーン上にはユーザーインタフェースとして、マンガ風の街路が描かれていた。本を読みたいなら、街路を通って「図書館」と表示されたドアを叩く。ゲームをするにはゲーム室に入る。仕事がらみで何かをするには机のある場所を目指す。当時はまだネットワークベースのサービスやウェブサイトなどはなかったため、ゼネラル・マジックは「テレスクリプト」というソフトウェア・エージェントを開発した。人間になり代わって旅行代理店やマスコミ各社などを訪問する役目を果たさせるのだ。ゼネラル・マジック製の機器と各社のコンピュータが互いのテレスクリプトを介して通信し、処理を実行するわけである。ゼネラル・マジックを訪問したあと、私はこう書いた。

> コンピュータ、ＰＤＡ、家庭用通信端末《セットトップボックス》などを使ってエージェントに接続し、「メイン州ポートランドへの往復チケットを購入して、小型レンタカーと市中心部のホテルを予約したい」と希望の日づけとともに伝えると、トラベル関係のネットワークにつながる。エージェントをそのなかに送り込み、すぐに回線を切断する。エージェントは、依頼内容に合った情報を見つけるとコンピュータに接続してきて、見つけた情報を提示してくれる。こちらはそのなかから

希望に合った選択肢を選び、クレジットカード番号を入力し、購入の意思を示したうえで、これらの情報を送信する。自分の代わりに用事を片づけてくれる存在、それがテレスクリプトである。(注2)

くどいようだが、当時はまだ、この構想を実現するのに必要なインフラはいっさいなかった。にもかかわらず、賢明なる企業経営者の多くは「素晴らしいアイデアだ」と思い込んだ。AT&Tはゼネラル・マジックに出資して、インターネットに似た「パーソナリンク」という専用網にテレスクリプトを搭載しようとした。日本の巨大電話会社NTTも出資した。モトローラやソニーもこれに倣い、おのおの、ゼネラル・マジック製ソフトウェアで動く携帯機器を開発した。このほかにもフランステレコム、フィリップス、松下電器(現パナソニック)、東芝、富士通などがゼネラル・マジックの構想に乗った。ゼネラル・マジックは、一線級の技術者やプログラマーのあいだでは、シリコンバレーの企業群のなかでも「就職したい企業」の最上位につけた。

とはいえ、構想全体が時代を先取りしすぎていたため、ゼネラル・マジックは不毛地帯の奥底から出発した。スティーブ・サッソンが発明した世界初のデジタルカメラと同じである。構想はすべて一九九三年にかたちになったが、ほとんどの消費者にとって利用に向けたハードルはきわめて高かった。必要な機器を買うのにお金がかかったほか、触ったこともないような機器の使い方を覚えなくてはならず、複雑な仕組みと向き合うのはひどく気が重かった。「使いやすかったかどうか」

などという問いは野暮もいいところだ。マスマーケットから使いやすさを認めてもらうには、何年もの歳月を費やしてテクノロジーを何段階も進化させる必要があっただろう。上質の観点でも見込みはかぎりなく薄かった。コンピューティング性能、ネットワーク、ソフトウェア、各種オンラインサービスなどが上質と呼べそうな経験を実現できるまでには、一年や二年では足りそうもなかった。では、手軽さないし上質さを手に入れるための道筋は、あるにはあったのだろうか。これも答えは「ノー」である。ゼネラル・マジックの前にはそのような道筋はなかった。ポラットとその同志たちは間違いなく先見性溢れる素晴らしいテクノロジーを開発していたが、テクノロジーそのものをかたちにすることしか眼中になかった。上質vs手軽という切り口で見た場合、ゼネラル・マジックに将来性はなかった。構想そのものは光り輝いていたが、質の面でも使いやすさの面でもとくに秀でることなく、不毛地帯に封じ込められる運命にあった。にもかかわらず、幾多の大企業が巨額をつぎ込んだのだった。

ゼネラル・マジックは企業として大成しなかった(やがて生まれ変わって音声認識を手がけるようになったが、当初のゼネラル・マジックとその構想は一九九六年には立ち行かなくなっていた)。ただし、ゼネラル・マジックという企業が存在したお陰でその構想が広く知られるようになり、テクノロジー業界がネット事業に力を入れ始めたからこそ、今日のような状況が生まれたのだ。ゼネラル・マジックに出資した企業群は、もし上質さと手軽さという視点を持ち合わせていたら、あれほど夢中になって気前よく資金を出しただろうか。

もっとも、ゼネラル・マジックが打ち上げた事業構想の骨子に相当する中身は、以後一五年のあいだに目覚ましい進化をとげてきた。システムが人間になり代わって用事をこなすというエージェントの概念は、二〇一〇年が近づくころにようやく不毛地帯を脱出するチャンスをつかんだ。二〇〇八年に私はシリコンバレーを訪れ、リアデンコマース本社の会議室でパトリック・グレイディCEOから話を聞いた。グレイディはゼネラル・マジックの過去の動きをつぶさに追い、個人秘書のような役割を果たすエージェントという概念に魅せられていた。ゼネラル・マジックの志がついえたあと、同じような事業を実現しようとしたHPとマイクロソフトが、一九九〇年代終わりと二〇〇〇年代はじめにそれぞれ取り組みを始めており、グレイディはその動向にも注目していた。数年後、巨大企業二社はともに成果をあげられないままプロジェクトを断念した。しかしグレイディはみずからリアデンを興し、同じ課題と向き合いつづけた。

この間、インターネットとコンピューティングの世界は発展をつづけ、大きな広がりを見せていた。ネットが普及して「ウェブ2・0」という言葉も聞かれるようになり、消費者はウェブ上でほかのサイトと連動する気の利いたサイトに慣れ始めていた。ネットショッピングも一般的になっていた。iPhoneやブラックベリーのような手のひらサイズの機器も洗練度を高めていた。ゼネラル・マジックが事業を展開していたころには欠けていた条件がすべて揃っていたのだ。

こうしてグレイディは不毛地帯から這い出す道筋を思い描くことができた。要は、手軽さという軸で勝負するのだ。インタビュー当日にグレイディが語ってくれたところによると、リアデンは

「個人秘書」とでも呼べそうな分野で上質か手軽かの二者択一をしているのだった。このような分野ないし市場では、一流の人材によるサービスこそが上質のきわみである。だが、たいていの利用者にとっては金銭的な負担が大きすぎる。かといって手軽な手段もない。つまり、少ない費用で簡単に利用できる人手によるサービスが身近にあるわけではない。このため、ほとんどの用事を自分でこなすことになる。

テクノロジーどうしの連携が一般化したお陰でようやく、幅広い顧客層を対象としたウェブ上の個人秘書サービスが夢ではなくなった。一例としてリアデンのテクノロジーは、ゼネラル・マジックが一九九〇年代はじめに構想していた旅行手配サービスをすでに実現している。二〇〇五年ごろには法人の出張手配を手がける組織を対象に、ソフトウェアの販売を始めた。テクノロジーがうまく機能することを実証したところ、アメリカン・エキスプレス、JPモルガン・チェース、ベンチャーキャピタル数社から一億ドルの資金が集まったという。多大な信用を得たわけである。チェースはリアデンの旅行「エージェント」サービスを、数百万人にのぼるクレジットカード利用者に提供する予定である。リアデンの各種エージェントが旅行手配にとどまらず多彩なサービスを手がけるのも、そう遠い日ではないはずだ。ひとつ簡単な例をあげよう。あなたに関係するウェブ上のソーシャルネットワークすべてに目配りをして、友人や家族の誕生日が近づいたら通知をくれるほか、相手がよく訪れるショッピング・サイトの「欲しいものリスト」を参照して、プレゼントとしてよさそうな品を提案してくれるのだ。これらすべてがクリック一回で実現してしまう。

コダックの発明したデジタルカメラ、ジューストのインターネット・テレビ、ゼネラル・マジックの構想などをとおして見たように、素晴らしいアイデアであっても長く不毛地帯にくすぶりつづけ、もともとの発案者には最後まで実益をもたらさない場合もある。誰かが不毛地帯を抜け出して市場に浸透するための道筋を探りあてた時に、ようやく日の目を見るのだ。

新聞は崩壊の淵から脱出できるか

テクノロジーの進歩とともに上質さと手軽さの基準がたゆみなく上昇をつづけるため、商品やサービスは、たとえ劣化しなくても不毛地帯へと転落するおそれがある。従来の位置にとどまっているか、テクノロジーの進歩に後れをとれば、それだけで不毛地帯行きとなるのだ。

私自身もこの現実を肌で感じた。新聞業界で二二年間も働いていたからである。

改めて述べるまでもなく、新聞はニュースを扱っている。過去五〇年を振り返ってみると、その大半において新聞は、雑誌、テレビ、ドキュメンタリー映画、本などどんなニュース源よりも、あるいは極上のニュース源である生身の人間よりも手軽だった。新聞は最盛期には超手軽の代名詞のような存在だった。どこでも手に入り、安く、親しみやすく、しかも小難しい使い方などない。新聞を愛情の対象とみなす人は少ないかもしれないが、たいていの人は必需品として受け止めていた。それどころか新聞を読むのは人々の習慣になっていた。

一口にニュースといってもじつに幅広く、新聞が扱っているのはその一部である。鮮度を生命線とする市場を土俵にしており、災害情報、野球の結果、選挙速報などを速やかに購読者に届けるのだ。一九九〇年代半ばまで、この領域で競合するのはラジオ、テレビ、口コミにほぼかぎられていた。新鮮なニュースを伝える媒体は、ほかにには皆無に近かった。このように市場をとらえると、新聞は上質で勝負する商品の典型だった。たとえば地域密着型のテレビが生の出来事を報じるのに対して、新聞は深層に迫る傾向が強く、それはより上質な情報だったのだ。

新聞は手軽さと上質さのどちらにも秀でていた。ニュース市場全体で最も手軽な媒体だったうえ、速報性が高いばかりか内容も充実していたのだ。だからこそ、新聞社の大多数はつい最近まで潤沢な売上と利益を享受していた。私が二二年勤務したガネットはアメリカ最大の新聞社であり、その株価はほぼ一貫して右肩上がりをつづけた。最も勢いよく伸びたのは、私が入社したすぐあと、一九八五年からである。ところが株価の上昇は二〇〇五年ごろにふいに息切れし、以後は急落へと転じた。

理由は明白だろう。インターネットの普及により新聞を取り巻く状況は激変したのだ。インターネットの登場がなぜこうも大きな痛みをもたらしたのか、そして新聞にとってはどんな対応策がありうるのかを解き明かすうえでは、上質か手軽かの二者択一がヒントになる。

広い意味でのニュースについていえば、ウェブが新聞を抜き去って最も手軽なニュース媒体となった。ウェブニュースは一九九〇年代半ばに登場したが、その直後は手軽とはいえなかった。パソコン、高速通信、常時接続などが広く行きわたり、一般の人々がウェブに慣れるまでには、時間がかかった。しかし二〇〇五年には、ウェブニュースは大多数の人にとって新聞よりも便利なものになっていた。仕事やメールの送受信に使うコンピュータ上で参照できるうえ、使い方が簡単でさまざまなジャンルがうまくまとまっている。しかも無料ときている。テクノロジーの恩恵を受けているのだ。新聞は依然として手軽な情報入手手段だったが、ニュース媒体として十分に進化していなかった。渋々ながらウェブ対応をしたものの、そのサービスはあまり上質とはいえないものが多かった。テクノロジーの発達によって多様なニュース配信の道が開け、ヤフーニュースやブログが新聞に勝る手軽さを実現した。一定の位置にとどまっていた新聞は、拡大する不毛地帯に飲み込まれ、必要とされるほど手軽でもなく、愛されるほど上質でもない、そんな存在になってしまった。若者層を中心に、多くの人々のあいだで新聞を購読する習慣は失われていった。

では、鮮度を命とするニュース分野ではどうだろうか。インターネットが普及するにつれて、新聞社は上質な媒体であることこそが自分たちの切り札だと考えるようになった。上層部はこう高をくくっていた。「ネット上で手軽なニュースが提供されても、ほとんどは上辺だけの断片的な内容だ。どちらにしても、詳細なニュースをPC画面上で読む人などいないだろう。新聞は、専門の記者が客観的な立場から事実を確認し、熟考したうえで記事を書く上質な媒体だから、これまでと変わらず受け入れられるはずだ」。

当初この理屈は成り立っていたが、やがていくつかの出来事によって突き崩された。新聞よりウエブをニュース媒体として選ぶ人が増えるにつれて、広告もウェブへの移行が始まり、とりわけ、人材募集、中古車販売などの三行広告ではこの傾向が強かった。そのあいだにも、ウェブニュースはわかりやすさと深みを増していった。ニュースサイトは規模が拡大し、プロのジャーナリストを次々と雇い入れた。消費者の側でも、スクリーン上でニュースを読むことへの抵抗感が薄れていった。これらすべてがほぼ同時に起きたのだ。そしてついに新聞社は墓穴を掘った。ウェブニュースに売上を奪われ始めると、人員の削減、支局の閉鎖、総紙面数の減少などを進め、ニュース媒体としての質を着実に落としていったのである(二〇〇八年における記者の削減数は、ワシントン・ポスト、ニューヨーク・タイムズがおのおの一〇〇人前後、アリゾナ・リパブリックが二七人にのぼり、ワシントン州オリンピアのオリンピアンは四五人のうち四人を解雇した。レイオフの波は業界のすみずみにおよび、二〇〇九年に入ってからはこの動きはさらに加速した)。

二〇〇〇年代はじめには、日刊紙は鮮度を命とするニュース分野においても、もはや抜きん出た存在ではなかった。ウェブニュースが上質へと近づくなか、新聞はむしろ劣化していた。一九九九年に五七%だった新聞の世帯普及率は、二〇〇六年には五〇%へと下がり、なおも急降下をつづけていた。(注3)

さて、不毛地帯から抜け出す起死回生の方法はあるのだろうか。私は多分あると考えている。一番の近道は、上質さと手軽さのどちらをとるかを明確にしたうえで懸命に努力することだ。二つのうちいずれかを取り戻すために、商品あるいはサービスのあり方を問いなおす必要があるだろう。

たとえばこんな戦略が考えられる。新聞業界はかねてからマスマーケットを対象とし、年齢、性別、収入などを問わずあらゆる人々に受け入れられようとしていた。ところが、新聞への見方は年齢層によってまったく異なる。二〇〇六年のアメリカでの調査によれば、新聞を読む比率は十八歳から二十四歳ではわずか三五%にすぎなかった。しかし、四十五歳から五十四歳では五四%、六十五歳以上では六七%というように年齢とともに比率は上がっていく。（注4）

年齢の高い層は、ニュースを得るための上質な手段として新聞を選ぶ傾向が強い。望ましい経験をもたらすものとして、新聞を受け止めているのだ。期待に十分応えられないような紙面を届けたら、新聞社はこの層から背を向けられるだろう。そこで、おもに四十五歳以上を対象とした商品として新聞をとらえなおすのが、有意義ではないだろうか。若者を惹きつけようとするのをやめて、代わりにベビーブーマーやその上の世代が重視する、アンチエイジングの方法、地場の高級レストラン、ビジネス、政治などに多くの紙面を割くのだ。私の知るかぎり、こうした戦略はまだどこの新聞社もとっていないようだ。いまだに、離れゆく若者層に何とかして読んでもらおうと、しきりに頭をひねっている。若者たちが新聞を上質ないし手軽なニュース源とみなすことは、おそらく決してないのだが。

新聞社にはもうひとつ選択肢があるだろう。紙媒体をいっさい廃止し、高い専門性を持った記者たちを活用して、きわめて質の高いニュースをウェブ上で提供するのだ。つまり、鮮度を命とするニュース分野で超上質を目指すのである。二〇〇八年終わり、クリスチャン・サイエンス・モニターがこれと同じ方針を発表した。

私はマーク・アンドリーセンとこの戦略について意見を交わした。アンドリーセンは一九九〇年代にネットスケープ・コミュニケーションズを共同創業した人物であり、以後、ツイッター、Ning、Qikなど何十ものウェブメディア企業を興したり、資金を提供したりしている。彼のブログは、テクノロジー好きのあいだで人気を集めている。二〇〇八年はじめには、「ニューヨーク・タイムズの臨終をみとる」という書き込みで物議をかもした。そこで私はアンドリーセンに、もしニューヨーク・タイムズの社主だったらどう動くかと水を向けた。

「今すぐ紙媒体の発行をやめるさ。攻めに出なきゃいけないからね。金融市場は、新聞社の先行き見通しを織り込んで、つまりは破産するだろうと予想して、株価を低位に沈ませている。だから今の時点では、もし主要な新聞社が紙媒体からの撤退を決めれば、株価はおそらく持ちなおすだろう。売上の九〇%が失われるにもかかわらずね。そうしたら攻めに出る。どうするかというと、ネット企業に生まれ変わるんだ」。ただしアンドリーセンはこうも言い添えた。「新聞社の社主や経営者の世代にとって、五〇〇年の歴史を誇る紙媒体を廃止するのは……それはもう身を切られるような思いにちがいないけどね」。とはいえ、これは新聞社が不毛地帯から脱出するための数少ない選択肢のひとつだろう。

スティーブ・ジョブズのほんとうの凄さ

一九九〇年代半ば、アップルコンピュータは空中分解したも同然だった。もともとは、共同創業者のスティーブ・ジョブズが先頭に立って社内を活気づかせていたのだが、彼は八五年に社外へ追われていた。以後、CEOが次々と交代しては、法人には汎用機種を、消費者には低スペック機種をそれぞれ売ろうとして会社を迷走させた。ジョン・スカリーがCEOだった時期には、持ち運びできるニュートンという機種を開発したが、発売当初こそ世界的に話題を呼んだものの結局は大失敗に終わった。なぜなら、「常識を吹き飛ばすくらいすごい」商品をつくるというスティーブ・ジョブズの教義に真っ向から反していたからだ。ニュートンはユーザーインタフェースがまったくなっておらず、機能もかぎられるなど、欠陥だらけの悪夢のような代物だった。

アップルは九五年第4四半期に六八〇〇万ドルの損失を計上した。その直後の九六年はじめ、私は当時のCEOギル・アメリオを取材した。その日アメリオは朝からテクノロジー・カンファレンスに出席し、「アップルをどう変革するのか」という問いにひっきりなしに応対していた。落ち着き払っていかにも経営者然としたアメリオは、この間ずっとスーツにネクタイという姿だった。この一点だけからも、アップルの社風にいかに似つかわしくない人物であるかがわかるというものだ。私は昼食をとりながらアメリオの話に耳を傾け、「徹底して実利を追いかけるつもりなのだな」とのだ。

ズはＩＢＭに不敵な挑戦状を突きつけ、「ふつうの人たちに使ってもらえるコンピュータをつくってみせる」と言い放ったものだが、それとは対照的に、アメリオの言葉は少しも心に残らなかった

心のなかでつぶやいた。ただし、心惹かれるものはこれっぽっちもなかった。スティーブ・ジョブズはＩＢＭに不敵な挑戦状を突きつけ、「ふつうの人たちに使ってもらえるコンピュータをつくってみせる」と言い放ったものだが、それとは対照的に、アメリオの言葉は少しも心に残らなかったのだ。

　振り返ってみれば、一九八四年にアップルはマッキントッシュを発売してＰＣ業界で特別な存在になった。ウィンドウズ・マシンが何の変哲もなかったのに対して、Ｍａｃは一味違った経験をもたらした。上質をきわめた商品の例にもれず、Macを使っていること自体がひとつの個性となった。Ｍａｃユーザーは審美眼に優れ、枠にとらわれない自由な発想をする。ただ何となく会社に通うだけの連中とは違うのだ。ところが一九九六年には、アメリオが経営トップの座にいたという事実だけからもうかがえるように、アップルは唯一無二の存在を目指すのをやめ、失速して不毛地帯へと落ちていった。商品は安くもなければどこでも売っているわけでもなく、スタイリッシュな魅力も損なわれていた。

　アップルは、不毛地帯へ落ちた企業にも復活のチャンスはあることを身をもって示している。一九九六年末、アメリオ率いるアップルはＮｅＸＴを買収し、それにともないＮｅＸＴの創業者であるジョブズもアップルに返り咲いた。そしてジョブズの指揮のもと、アップルは唯一無二の存在へと戻っていく。どの商品もみな、使う人に格別な経験をもたらさなくてはいけない――。アップルはＭａｃ、ラップトップ・コンピュータのパワーブックの両方に、洗練された美しさと優れた性能

を持たせ、かつてと同じように使う人に個性をまとわせた。それを象徴しているのが、あの有名な「Think Different」というコピーの入った広告キャンペーンである。アップルはPC市場で上質の頂点に立ち、その同じ発想や心意気を、ライバルがひしめく携帯電話市場などほかの分野へも持ち込んだ。iPhoneは並居る他機種を差し置いて、発売と同時にこれまたスマートフォンの頂点に輝いた。

ジョブズは商品企画やマーケティングにかけても超一流である。だが、上質への回帰を果たしたことこそが、アップルへの最大の貢献だろう。

第8章 最悪の選択

スターバックス、二〇年目の迷走

スターバックスは二〇〇七年に壁に突きあたった。客足が衰え、利益が細り、株価は年間で五〇%近く下落した。二〇〇八年はじめには、事業のグローバル化に辣腕をふるったハワード・シュルツが八年ぶりにCEOに復帰した。シュルツが失速の原因について語った内容は、「スターバックスは上質という幻影を追い求めてしまった」というほぼ一点に集約される。

最盛期のスターバックスは上質さで勝負していた。シュルツは、パーストープの子会社に在籍してスウェーデン製のキッチン用品の販売をしていた時に、コーヒービジネスに心を奪われた。そしてシアトルに赴き、当時はまだ高級コーヒー豆の焙煎を手がけるちっぽけな会社だったスターバックスを訪問した。スターバックスに転職したシュルツは出張でミラノへ行き、イタリア流のエスプレッソ・バーで豊かな風味、かぐわしい香り、優雅な伝統、なごやかな雰囲気と出会った。これらすべてが溶け合って、あるひらめきを生んだ。「本場イタリアのコーヒー文化をアメリカに持ち込めば、私が得たのと同じ感動を多くのアメリカ人と分かち合えるだろう。……そうすればスターバックスは素敵な小売店であるだけでなく、素敵な経験をつむぐ場になるのだ」(シュルツの自伝的著書『スターバックス成功物語』より)(注1)。

シュルツは一九八七年に創業者から会社を買い取った。彼が草創期に何を考えていたかを見れば、すべては「コーヒーを売るだけでなく極上の経験を生み出したい」という思いに行き着くだろう。スターバックスの店内を「風雅な趣のある場所」、「わずらわしさに満ちた日常から逃れて、ゆったりとしたひと時を過ごすためのオアシス」にしたいと考えた。人々にとって自宅と職場に次ぐ「第三の場所」にしたいと願った。イギリスのパブや日本の喫茶店のような、仲間が集う心地よい場所。テレビ番組「チアーズ」に出てくるみんなの憩いのバーのような場所。みんなが名前で呼び合うか、あたかも顔なじみであるかのようにふるまう場所(注2)。シュルツのひらめきにより、スターバックスは社交の場としての性格を帯び、これがさらなる高級感へとつながった。

では商品はどうだろうか。シュルツは一貫して「格別なコーヒーを提供しなくてはいけない」という信念を抱いていたが、コーヒーそのものはおそらく、スターバックスの魅力のなかで最もささやかなものだっただろう。スターバックスが供するさまざまなドリンクや、「カフェイン入りとデカフェを半々にして、スキムミルクを混ぜたダブルラテ」のようなコンビネーションを注文することは、最初のころは人々の好奇心をくすぐり、贅沢な雰囲気を漂わせていた。そしてやがて、最先端の流行となった。スターバックスが注目されるようになると、「軽食店やダンキンドーナツでミルクと砂糖の添えられたコーヒーを注文する？　それじゃ物足りない」という風潮がどこからともなく生まれた。

世間の注目を集めた当初、スターバックスは独特のオーラをまとっていた。グリーンのロゴ入りの紙コップに入っていると、コーヒーがおいしそうに見えた。「ちょっとスタバに行ってくる」と言うと、同僚たちも一目置いてくれる。ただ「コーヒーを買ってくる」というのとは違うのだ。スターバックスのカップを手にしている、店内にいる姿を誰かに目撃される、常連であるためお気に入りのコンビネーションはとっくに決まっている――。こういう人たちは垢抜けて見える。極上のコーヒーで自分をもてなすスタイリッシュな生き方をしていると。

これらの利点と引き換えにスターバックスは高めの値段設定をした。コーヒー一杯が相場の二倍以上もするのだ。エスプレッソ、ラテ、マキアートなど上等なドリンク類は三ドルから五ドルである。値段の面では、スターバックスは手軽さとはおよそ無縁だった。家やオフィスでタダ同然で入れられる飲み物を買うために、店を探しまわり、待ち行列に並び、法外な値段を払わなくてはならないのだ。しかし、そんなことは問題ではなかった。シュルツの演出により、スターバックスには極上の経験に欠かせない要素がすべて揃っていた。だからこそ、一九九〇年代末にまたたくまに一世を風靡したのである。

次いでシュルツは、野心的な起業家なら誰でも考えそうな行動に出た。スターバックスへの人々の愛情を最大限に活かそうとして、積極的な拡大路線をとったのだ。これは株主の要望にも沿っていた。だが反面、高級ブランドの持ち味を殺す「身近さ」という要素を忍び込ませかねない選択でもあった。

実際、スターバックスはみごとに罠にはまってしまった。経済学者のタイラー・コーエンがいみじくも語っていたように、「ありふれた存在になったのでは、スターバックスは自殺したにひとしい」のである。(注3)

スターバックスは「これでもか」というほどの出店攻勢をかけた。都市部では、交差点脇、ショッピングモール、高速道路のインターチェンジ出口には必ずといってよいほど出店した。二〇〇四年公開のアニメ映画『シュレック2』には、スターバックスを思わせるチェーン店が破壊され、店内にいた人々がはす向かいの同じチェーン店に逃げ込んでいく様子が、おもしろおかしく描かれている。パロディ専門の新聞、ザ・オニオンは、「スターバックス、既存店の化粧室内に新たに一店舗をオープン」という見出しを掲げた。シュルツは二〇〇〇年にCEOを退いて会長となったが、つづく二代のCEOはよりいっそうの拡大路線にひた走り、同時に、既存店でアイスクリーム、出来合いのビン入りドリンク、音楽CDなどの取り扱いを始めた。一九九八年に全世界で一八八六だった店舗数は、一〇年後には一万六二二六にまで増えていた。シュルツはこれを祝福した。「いたるところに出店してもなお、特別な存在でいられる」と信じて疑わなかったのだろう。

現に一九九七年にこう記している。「成長を重んじるあまり独特の雰囲気や洗練を損なうなどということを、私は断じて許すつもりはない。……事業が拡大すれば、創造性や革新性に溢れた店舗デザインに資金を使い、さらなる高みを目指せるはずだ。こうして、スターバックスでのひと時ならではの楽しさや驚きを永続させるのである」(注4)。

これを上質か手軽かの二者択一という観点から眺めるなら、シュルツとその後を継いだCEOたちは当初は上質なコーヒーショップを目指したが、拡大路線をきっかけに、実際には手軽な店という正反対の方向へ進んでしまった。いやむしろ、一挙両得も夢ではないと考えたのだろう。いつでもどこでも身近にあって、しかもほかの店にはない心地よさがある店、愛されて、なおかつ必要とされる存在を目指したのだ。これはまず不可能である。

スターバックスは幻影を追い求めた。これは報われない旅である。手軽さは通常、上質感を打ち消す。手に入りやすさが増すにつれて、オーラは失われていく。手軽になればなるほど、顧客の個性を引き立てる力は弱まっていく。スターバックスは、身近になりすぎたせいでブランド力が翳り、ありきたりな存在になってしまった。

裏を返すなら、高級なイメージにこだわっているかぎり、スターバックスはほんとうの意味で身近な存在にはなれなかったはずだ。手軽に利用できるコーヒーショップを目指すのであれば、値段のほかにも越えるべきハードルがあった。待ち行列である。フラペチーノのような特別注文に近い上等なドリンクは、バリスタの手をわずらわせるため、どうしても待ち時間が長くなる。顧客は、あまり待たずにそこそこ満足のいくコーヒーを飲みたいなら、マクドナルドやセブン－イレブンに行ったほうがよいと悟った。そうすれば節約にもなる――。

私がスターバックスの異変にはっきり気づいたのは、最寄りのスーパーマーケットのなかに小さなコーヒースタンドが開設された時だ。そこから二〇メートルも離れていないところには、スターバックスの既存店があった。これはシュルツの当初の構想とは一八〇度異なる動きだった。スーパーの片隅に設けたスタンドでは、かけがえのない経験も、なごやかな交流も、実現しようがない。ありていに言えば、自動販売機とほとんど変わらないのだ。コーヒーを受け取った顧客は、それをショッピングカートのカップホルダーに差し込むだろう。いったいどこが「贅沢な経験」なのか。

顧客は予想どおりの反応を示した。店舗数がかつてなく増えたというのに、客足は逆に遠のいたのだ。二〇〇七年、既存店の来店者数がはじめて減少に転じた。たんに便利だからとスターバックスを訪れる人々は、上乗せ価格を払うのは納得いかないと考えるようになった。オーラや個性を求める顧客は、より個性的なチェーン店や地場のコーヒーショップへと流れていった。スターバックスが苦境にあえぐさなかの二〇〇八年半ば、バージニア州アーリントンで独立系コーヒーショップ、ジャバシャックを経営するデール・ロバーツは、ワシントン・ポストの取材に対して、自分の店は売上が二桁増だと述べた。「みんながいっせいに、コーヒー片手に心ゆくまでくつろげる場所のよさを見直し始めたんじゃないかな(注5)」。

たいていの人はこの言葉にピンとくるはずだ。風流を解する人々は、あまりに人気が沸騰したものには、それがブランド、ロックバンド、ファッションなど何であれ冷めた目を向け、新しいものを探そうとする。

二〇〇七年二月、シュルツは自社の現状をはっきり悟った。当時のジム・ドナルドCEOに宛てて、「スターバックスでのひと時が空しいものとなり……月並みなブランドに成り下がってしまった」という嘆きとも叱責ともとれる文章をつづった。二〇〇八年一月にドナルドを首にしてみずからCEOとして舞い戻ると、極上を目指すかつての戦略をすぐさま復活させた。CNBCのマリア・バーティロモにはこう語っている。「原点に立ち返って『世界で最も質の高いコーヒーを提供する店』をふたたび謳うつもりです。……思い出すんですよ。当社がはちきれんばかりの創造性と起業家精神をみなぎらせていた当時をね。あのころは、何とか生き残って尊敬される会社を築こうとして、懸命に働いたものです(注6)」。

二〇〇八年半ばには、オーラの翳りについても認めた。「今の当社は、若くて進取の精神に満ちた、みなさんに愛される会社ではありません。……事業のやり方を変えなくてはいけないでしょう(注7)」。

シュルツは二つの思い切った施策によってメディアの注目を集めた。まず、七〇〇〇店舗を三時間ほど閉めて、一三万五〇〇〇人のバリスタたちにスターバックス流エスプレッソの入れ方を教えた(実際に研修が必要だったかどうかはともかく、これによって世の中に「スターバックスは味や品質を真剣に考えている」というメッセージを送ることができた)。次に、全米で六〇〇店舗を閉鎖すると発表した。（注8）比率にすれば全店舗のおよそ五％にすぎず、片やさまざまな地域に三五〇店舗を新規オープンする計画もあったのだが、ともあれこれは、手軽さを追求していたスターバックスがはじめてその戦線を縮小したことを告げる出来事だった。

シュルツはスターバックスに往時の輝きを取り戻させることができるだろうか。先行きは厳しそうである。経済学者のタイラー・コーエンが指摘しているように、スターバックスのようなブランドにとって、どこにでもある見慣れた存在になるのは命取りである。アメリカ人のほとんどは、もはやスターバックスにオーラや個性を感じていない。だからといって背を向けるとはかぎらないが、わざわざ探してまで足を運ぼうとはしないだろう。マクドナルドやセブン‐イレブンのような手軽な店、あるいは個人経営のコーヒーショップや小規模チェーンのような上質感を漂わせた店は、スターバックスと競争するうえで以前よりも分がよくなるはずだ。

iPhoneの「かけがえのなさ」が失われる？

もしスティーブ・ジョブズがスターバックスのシュルツと同じ路線を選んだら、iPhoneの先行きに暗雲が垂れ込めるだろう。

ジョブズ率いるアップルは二〇〇〇年以降、上質をきわめたテクノロジー企業となった。価格を高めに保ち、オープン標準や他社商品との相性——つまりは使いやすさ——には目をつぶった。反面、デザインやつくりの美しさにこだわり、ハードとソフトを、ともに誰の目にも他社商品よりも優れたものに仕上げた。これらの点だけをとっても、アップルは十分に尊敬すべき企業だといえるだろう。だが、アップルはかねてから成功への秘密のレシピをたずさえていた。オーラと個性である。アップルは創業からこのかたほぼ一貫して、マイクロソフトやIBMといった巨大企業を相手に劣勢を強いられていた。だがジョブズが経営の第一線に戻ってからは、「お洒落でカッコいい」「創造性をみなぎらせた」「挑戦者」「ゾクゾクする」といったイメージをまとった。アップルは強力なブランドを築いた。つむじ曲がりでさえも、アップル製だというだけで「ほかの商品よりも輝いている」と感じたようだ。何より、アップルは個性を放った。アップル製の何かを持っていれば、目利きあるいは世の中の最先端を行く人とみなされた。何とも凄まじい威力である。スティーブ・ジョブズは、こうしたイメージを巧みに保つ手腕を世に知らしめた。

二〇〇一年、アップルはiPodとiTunesを発表した。いかにもアップルらしい商品だった。価格が高く、ほかのどの商品やサービスよりも優れていて、非の打ちどころがないほどスタイリッシュだった。そこへ奇妙な現象——アップルがかつて経験したことのない現象——が起きた。一部のアップルファンのみならず、多くの消費者から熱い視線を投げかけられたのだ。アップルはこの機会に乗じるために、価格を引き下げて生産量を増やした。買い手のすそ野を広げようとしてiPod nanoを、つづいてさらに幅広い層への浸透を目指してiPod shuffleを開発した。一時期はデジタル音楽プレーヤー市場で九〇％超ものシェアを握っていた。

アップルはiPodを手に入りやすくする方向へ猛然と動いた。やがてiPodは簡単に購入できるものになり、必需品と化した。音楽プレーヤーを買おうとする際、あれこれ考えるのが面倒な人が選ぶ商品、それがiPodである。使い勝手は申し分なかったが、二〇〇八年にはほかの音楽プレーヤーよりも必ずしも優れた商品ではなくなっていた。マイクロソフトはZune《ズーン》に多大な開発費を投じ、iPodにはない革新的な機能を持たせた。サンディスクなどの企業も同じような取り組みをした。にもかかわらず、iPodの市場シェアは盤石で突き崩せそうもなかった。ソフトウェア上の理由により、iTunesで購入した音楽はほかの音楽プレーヤーで聴くのが難しかったため、iPodが壊れたら次もべつのプレーヤーではなくiPodを買うほうが簡単だった。二〇一〇年まであと二、三年というころには、iPodの利用者は数千万人にまで増えていた。いたるところでiPodを見かけるようになっていた。

iPodは感動を生まなくなった。以前とは違い、持ち主の個性を際立たせる力も失った。もはやiPodを持っていても「格好よく」はない。右へならえをしているにすぎないから、特別なオーラをまとえるわけではない。携帯用の音楽プレーヤーが欲しい人にとって、iPodは「愛しい」というよりも「必要だから買う」ものになった。

この状況はアップルを窮地に陥れるおそれがあった。アップルは依然としてコンピュータを扱い、ラップトップとデスクトップを合わせて何百万台も製造、販売していた。しかし今や、iPodとiTunesがアップルの「顔」になったのだ。音楽分野でマスマーケットに浸透するにつれて、アップルは「Ｔｈｉｎｋ Ｄｉｆｆｅｒｅｎｔ」の精神から遠ざかっていった。オーラが雲散霧消してしまう危険があった。「そんなバカな」と思うなら、ｉＰｈｏｎｅがなかったらどうなっていたかを想像してみるとよい。その場合、アップルはコンピュータとｉＰｏｄだけを製造していることになるが、どちらももはや人々の心を躍らせる力を持たず、新鮮味と輝きを失った企業という印象が広まっていただろう。手軽なｉＰｏｄを提供する一方、Ｍａｃのオーラを保とうとしてどっちつかずになり、アップル・ブランドは幻影を追いかけるという危ない橋をわたっていたはずだ。

　ワイアード誌によると、ジョブズは二〇〇四年にはｉＰｏｄがアップルのアキレス腱だと気づいていたという。Ｐａｌｍ Ｔｒｅｏ《パームトレオ》やリサーチ・イン・モーションのブラックベリーといったスマートフォンが、消費者のハートをわしづかみにしていた。[注9]このような高級携帯電話はすぐに記憶容量が拡大して、通話やメールの送受信だけでなく、デジタル音楽の保存と再生もできるようになるだろう。そうなれば、通信機能を持たないｉＰｏｄはいっそう魅力を失い、ありふれた商品になっていくはずだ。これに対抗するためにジョブズは当初、モトローラと共同でＲＯＫＲ《ロッカー》という音楽携帯電話を発表したが、ＲＯＫＲはこれといって光るものを持たず、売れ行きは終始ぱっとしなかった。このためジョブズはモトローラに見切りをつけ、自社の技術陣に「音楽プレーヤー、携帯電話、万能タイプのデジタル機器、すべての性格を兼ね備え、タッチスクリーンを搭載した、手のひらサイズのコンピュータをつくるように」と発破をかけた。

　二〇〇七年一月、サンフランシスコで開かれたＭａｃワールドの壇上でジョブズはｉＰｈｏｎｅ

をお披露目し、極上の地位をふたたびアップルの手に取り戻した。ｉＰｈｏｎｅはタッチスクリーン、無線ＬＡＮ機能、画期的なユーザーインタフェースなどを備え、登場した時からすでに唯一無二の携帯電話だった。当初価格は驚くなかれ、五九九ドル。だが、熱烈なアップルファンは気にもかけなかった。ｉＰｈｏｎｅにより、アップルはふたたびオーラと個性を身につけた。

ｉＰｈｏｎｅは持ち主を特別な存在に見せる。二〇〇七年六月の発売時、アップルストアには何日も前から数千人が待ち行列をつくった。年末までの販売数は五〇〇万台にのぼり、二〇〇八年には一〇〇〇万台超が売れた。ｉＰｈｏｎｅはたちまち花形商品となり、アップルのイメージ回復に貢献した。

しかし、正念場はここからである。この原稿を書いている現在、アップルは、読者のみなさんにはもうおなじみの岐路にさしかかっている。一九九〇年代はじめのスターバックスと同じ状況に置かれているのだ。アップルは、モバイル機器の常識を打ち破る商品を生み出し、それまで眠っていた多大な需要を掘り起こした。発売初年、ｉＰｈｏｎｅはアメリカのアップルストアとＡＴ＆Ｔストアでしか売られていなかったが、二〇〇八年九月には家電量販店ベストバイの全米九七〇店舗でも取り扱いが始まり、おおぜいの消費者にとって手に入れやすい存在となった。

同じ月、私はシリコンバレーのチャーチル・クラブ開催の会合において、ウェブ時代の黎明期をひらいたマーク・アンドリーセンにインタビューした。彼はｉＰｈｏｎｅをかざして、「この商品はモバイル・コミュニケーションの潮流を変えた。ｉＰｈｏｎｅは一億台は売れるだろう」と力強く言い放った。[注10] 一億台という数字は、モバイル機器として史上最高の売れ行きを誇ったモトローラのＲＡＺＲに匹敵するものだ。

アップルがｉＰｈｏｎｅの価格をさらに引き下げ、製造とマーケティングを拡大し、流通チャネルに溢れんばかりのｉＰｈｏｎｅを送り込めば、一億台も夢ではないだろう。そう、モトローラがＲＡＺＲに関して行ったように。ただし、これによってＲＡＺＲからは上質感が剝げ落ち、ブランドは見る影もないほど傷ついた。

いかにアップルといえども、ｉＰｈｏｎｅを上質かつ手軽な商品に仕立て上げることはできない。極上の品に手軽さを付け加えたら、かけがえのなさ、きらめき、オーラや個性など、消費者にとっての魅力が失われてしまう。アップルは、ｉＰｈｏｎｅを一部の顧客層だけを対象としたＭａｃのような高級品のままにしておくか、マスマーケットへの浸透をはかってｉＰｏｄと同じくらい身近で必要な品にするか、決断しなくてはならないだろう。

これはアップルの未来を左右する決断かもしれない。ｉＰｈｏｎｅの販売数が一億台に到達したら、アップルはテクノロジー業界の巨人となり、消費者からこれまでとは違った目で見られるだろう。挑戦者は愛情の対象になりやすいが、王者となるとそうはいかない。アップルが今の位置づけを守るためには、「次のｉＰｈｏｎｅ」を創造することが欠かせない。ｉＰｏｄが市場に溢れた時、ｉＰｈｏｎｅが登場してアップルに魔法を取り戻させたように、ｉＰｈｏｎｅがどこにでもある存在になったら、新たなる発明によりふたたび同じ効果を生み出す必要があるのだ。アップルは手軽な商品をみごとにヒットさせる力量を持つが、ブランドを守るためには唯一無二の商品がなくてはならないのだ。

アップルにはもうひとつ選択肢がある。iPhoneの流通を絞り、極上のモバイル機器の座を死守するためにR&Dに資金を投じ、価格を高めに保つことにより、アップル・ファンをしびれさせるオーラと個性を保つのだ。この場合、企業規模はさほど大きくならないだろうが、産業界や社会には凄まじい影響をおよぼすはずである。こちらの選択肢のほうがアップルの持ち味、つまりは得意とする領域に近い。

無敵の中国製造業を待ち受けるワナ

私はしみひとつない白いシート・カバーが印象的なヒュンダイ・ソナタに乗り、北京の交通渋滞にやきもきしていた。右側のウィンドウ越しに、二〇〇八年夏のオリンピックのメインスタジアム、「鳥の巣」の愛称で知られる北京国家体育場が巨大なその姿を現した。同乗のアメリカ人広告マン二人も落ち着かない様子だった。時計の針が進むごとにいっそう苛立ちを募らせる。私たちは、中国最大のテクノロジー企業レノボのアメリカ人CEO、ビル・アメリオを訪問することになっていたが、約束の時間に遅れそうだったのだ。中国人ドライバーが、フォルクスワーゲン、シトロエン、バス、ミキサー車、中国製の細長いミニバンなどと競り合うようにして、料金所を通り抜けようとする。歩いたほうがまだしも速そうだった。

アメリオは短気でしたたかな人物だという評判だったうえ、就任から二年でレノボの経営を立て直していた。そんなアメリオを待たせるのは得策ではなさそうだった。

私たちは、中国の労働力の豊かさに驚嘆しながら何とか料金所を抜けた。料金所の周囲にはオレンジのチョッキを着た係員が少なくとも二〇人はいたが、みんな何とはなしにクルマを眺めるだけだった。ヒュンダイが心持ちスピードをあげ、私たちはまたも、想像を絶するような人口の多さを思い起こさせる光景に遭遇した。四十数階建てのほぼ相似形の建設中アパートがいくつも立ち並び、そのまわりではクレーン車が作業をしているのだった。見わたすかぎりその光景がつづいていた——といっても、北京の空はいつもながら白いスモッグに覆われていたため、はるかかなたまで見わたせるわけではなかったが。

高速道路をおりて一般道に入ると、自転車、クルマ、スクーターなどに揉まれるように走りながら、「WOOL SPINNING CITY」という不思議な表示のあるビルとスイカを売る屋台の前を通り過ぎた。すでに約束の時間を一〇分過ぎており、一五分は遅れそうだった。私たちの乗ったクルマは、シリコンバレーの企業の敷地そのままといった風情の一角へと侵入していった。違うのは、通勤途中の従業員がほぼ例外なく古びた自転車に乗っていることだけだった。同行の広告マンの片割れが、テキストメッセージで会社に居場所を連絡する。やがてクルマはレノボ本社の正面入り口前でとまった。私たちは「急げ、急げ」とばかりに、まるで出撃する兵士のように慌ただしくクルマをおりた。ガラスとスチールでできたロビーを抜け、噴水の脇を通り、敷地を横切り、エレベーターで上階へ上がる。低いパーティションで仕切られた広い部屋に入り、角を曲がって、インタビュー場所であるこざっぱりした会議室に入る。だが、そこにアメリオの姿はなかった。

「まだ外出から戻っておりません」。身なりのよい若くて小柄な女性が申し訳なさそうに言った。

「交通事故があったものですから」。

私たちはほっと一息ついた。

二〇〇五年前後の中国は、経済が高成長を遂げるなか国全体が手軽さを体現していた。先進国向けのきわめて安価な製造工場だったのだ。特筆すべき点として、中国は一九九〇年代以降、自国の工場でモノづくりをしやすい環境を欧米企業のために用意し、製造拠点としての位置づけをたしかなものにした。これをきっかけに経済が奇跡的ともいえる成長軌道に乗り、共産主義的な閉ざされたあり方との決別を果たしたのだ。所得と教育水準の向上にともない、中国もまた他国から尊敬されたいと願うようになった。中国は主として国土の広大さゆえに畏敬の念を抱かれていた。酒場にマイク・タイソンがいたら、周囲から仰ぎ見られるのと同じである。だが中国は、知識、品質、格式などで尊敬を集めたいと考えた。そう、上質を目指したのだ。それも半端ではないレベルの。

中国はまず、アメリオのようなアメリカ人を頼った。政府は二〇〇六年三月に五カ年計画を策定し、知識をよりどころにしてイノベーション志向の経済を築くために始動した。さしあたっては、偉大なグローバル・ブランドを生み出して、中国の競争力の高さを世界に知らしめる必要があった。

第二次大戦後の日本ではソニーがその役割を果たした。一九九〇年代の韓国ではサムスンが先頭に立った。フィンランドはノキアの力を借りて存在感を強めた。北京のCCIDコンサルティング(賽迪顧問)の上級アナリスト、チェン・リンはこう語っている。「レノボを世界的なブランドに押し上げられるかどうかは、中国にとって死命を制するほどの大問題でした。これを成しとげれば、自国が産業の上流工程を手がけられる証しになりますから」。

さて、レノボ北京本社の会議室にはようやくアメリオが姿を現した。朝から交通事故のとばっちりを受けたとはいえ、取り乱した様子もなく颯爽としている。こちらが、中国経済を高い水準へ引き上げるという使命は重荷ではないかとたずねても、平然としていた。「いいえ、少しも」。自信ありげにまっすぐに私たちのほうを見つめる。にこやかな表情からは、やりとりをどこか楽しむような様子がうかがえた。「この仕事を引き受けたのは、未知への挑戦だからです」。

国家レベルで上質さと手軽さを両立させようとするのは、前例のない試みである。コンサルティング会社のアクセンチュアが二〇〇六年に公表した報告書には、ずばりこう書かれている。「中国の目標は、バリューチェーンの上流を目指す国々に共通のものだ。ただし中国は、巨大なモノづくりの基盤を保ったまま、世界市場に付加価値の高いモノやサービスを提供する力をつけようとしており、これはほかの国が経験したことのない独自の挑戦である」(注11)。手軽さを強みとする中国は、上質さでも秀でたいと考えている。

手軽な商品の提供者から上質な商品の提供者への脱皮を目指す国々はこれまで、みな同じ道筋をたどってきた。日本を考えてみたい。第二次大戦後の日本は、低コストのモノづくりを頼りに焼け野原から立ち上がった。一九六〇年代には、欧米市場でメイド・イン・ジャパンの安いオモチャや衣料品が目立つようになった。七〇年代から八〇年代にかけての日本は、「安かろう、悪かろう」を脱して革新性と技術力を武器に高級品をつくるようになり、ソニーやトヨタ自動車がその尖兵となった。こうして高度成長をとげ、賃金や不動産価格は世界の最高水準に近づいた。八〇年に九〇六八ドルだったひとりあたりのＧＮＰ（国民総生産）は、九〇年には二万三八〇一ドルにまで増大していた。二〇〇〇年以降、日本企業が設計、販売するエレクトロニクス製品は、ほとんどが労働コストの低いアジア諸国で製造されている。

韓国も、日本のあとを追うようにして同じような道を歩んだ。その先頭に立ったのはサムスン、ヒュンダイ、ＬＧである。そして最近はインドの出番である。インドは二〇〇〇年代に入ったころから、データ入力、中小規模のプログラム開発、コールセンターの運営など、ローエンドの安価なＩＴサービスの提供にかけて世界で最も手軽な国になった。ここ数年は、インフォシスなどの企業を筆頭に、バリューチェーンの上流を目指す動きを活発化させている。インフォシスのコンサルタントたちの言葉を借りるなら、欧米企業のアウトソーシング先から脱皮して、独自の商品やブランドを生み出そうとしているのだ。インドは国全体としても、グローバル経済のなかでより高次の役割を担う道を模索している。必要とされる商品やサービスを提供するだけの役どころに飽き足らず、愛される商品やサービスを届けたいと考えているのだ。

日本と韓国は安価な製造拠点という立場にこだわらなかった。上質さと手軽さの二兎を追わず、前者に徹したのだ。国全体としてバリューチェーンの上流へ移行するには、教育に惜しみなく投資をして、できるかぎり広い範囲にわたって知識レベルや競争力を高めるのが定石である。教育水準が上がると、条件のよい職や高い賃金が望まれる。賃金水準が向上すると、その国の手軽度は低下する。モノづくりや簡単なＩＴ業務などを手がけていたほうが、楽なままでいられて効率もよいかもしれないが、コストは以前よりも上昇する。上質さ、つまり高付加価値を目指すと、その国はおのずと手軽な商品やサービスにおける競争力を失っていく。もちろん一国の経済全体を引き上げるには、何年、あるいは何十年もかかる。このため、教育水準の底上げが十分でない期間が長引き、底辺にいるおおぜいの人々は低賃金に甘んじるが、他方、きわめて高い教育を受けた一部の人々は、ビル・アメリオ率いるレノボと同じように上質な商品の提供者になれる。しかし、やがては国全体の所得が向上し、高コストのせいで手軽な製造拠点としての条件を満たさなくなるのだ。すると世界経済は、モノづくりを任せるための国をどこかほかから探し出す。

中国は国土がきわめて広大であるうえ人口も膨大なため、上質を目指す旅には一〇年単位の歳月を要するに違いない。たとえるなら、中国は全長一〇〇〇マイルもある列車のようなものだ。先頭の機関車が上質へいたる最初の駅に近づくころ、列車全体の半分は、いまだ手軽という名の出発地点を離れてもいない。結局のところ、上質さで認められるには手軽さをあきらめなくてはいけないだろう。ごく一握りの人材は世界に通用する仕事をして高給を得ているが、大多数ははるか後方に取り残され、やっと生活できるかどうかの低賃金で働く状況では、中国社会の不安定さが増すおそれがある。中国人もこれを自覚しているようだ。「中国日報」に掲載されたリアン・ホンフによる「バリューチェーンの上流を目指す」というコラムには、「ハイエンド市場で他国よりも給与水準を低く保つのは、およそ健全な政策とはいえない」と書かれている。(注12)中国はおそらく、これから長いあいだ上質と手軽の両面作戦をつづけるのだろうが、いずれ両立は不可能だと痛感するであろう。

誰にでも買えるティファニーなんて

手軽さを持ち味とする事業を舵取りする人は、「利益率を高めなくては」というプレッシャーに直面して上質さを追求しようとする。上質さを強みとする事業を担う経営者は、「成長率をアップさせなくては」という焦りから、より手軽になろうとする。

二〇〇五年春、ハーバード・ビジネススクール刊行のワーキング・ナレッジに、マス・ラグジュアリーについての論考が掲載された。タイトルは「ラグジュアリーをあまねく売る」。冒頭には「ラグジュアリーはこれからの時代に欠かせないものである。消費者はそれに気づき、流通企業はこの利益機会を活かしている」とある。(注13)

バーバリーやジャガーなどの企業はこれに飛びついた。デザイナーのアイザック・ミズラヒは、ディスカウント百貨店のターゲットと契約を結び、これと同じような動きはほかのデザイナーにも広まっている。第3章でも述べたように、COACHも「マス・ラグジュアリー」の誘惑に負けた。かのティファニーですらよろめいたほどだ。ティファニーは古くから、世界のラグジュアリー・ブランドのなかでもひときわ高級感があったが、一九九〇年代終わり、顧客層を広げることに色気を示し、シルバーのブレスレットチャームを一一〇ドルで売り出した。ほどなく、ティファニーの店頭は従来とはまったく異なる顧客で溢れ返った。中流家庭に育った十代の女性客が押し寄せたのだ。ティファニーの売上は爆発的に伸び、一九九七年から二〇〇二年にかけて六七%も跳ね上がった。株主たちはこれを好感し、「この戦略の手をゆるめないように」と圧力をかけてきた。しかし経営陣は、「長い目で見るとブランドを傷つけるのではないか」と頭を悩ませ始めた。IR（投資家対応）担当副社長のマーク・アーロンは、二〇〇七年にウォールストリート・ジャーナルにこう語っている。「ティーンエイジャーの女性客がアクセサリー箱を当社の商品で満たし、やがて年齢を重ねたあと、『ティファニー？ 年端もいかないころにアクセサリーを買った店だわ』などと思い返すようでは、いったいどうなることでしょう」。

上質か手軽かの二者択一というコンセプトが示すように、「マス・ラグジュアリー」は砂上の楼閣にすぎない。マスとは手軽であり、ラグジュアリーとは上質である。この二つは共存できない。「マス・ラグジュアリー」を謳ってはいても、誰もが手にできるならそれはありきたりな商品である。「マス・ラグジュアリー」とはじつのところ、一般の人々の期待水準を押し上げ、身の回りの商品やサービスの質的向上をもたらすものだ。こうなると、その成り立ちからしてもはやラグジュアリーの名には値しない。

私たちはごく自然に、自分の社会的な立場や経済力に見合ったふるまいをしようとする。富裕層にとってはラグジュアリーを身につけるのがその手段である。仮に、ごく一部の人々だけが手にする真のラグジュアリーが月並みな存在になってしまったら、富裕層はラグジュアリーの範囲を問いなおし、一般の人々にとっての高嶺の花を探し出すだろう。

テクノロジーが進歩すると、それに合わせて上質さと手軽さ、両方の水準が絶えず向上していくため、今のところは上質ないしラグジュアリーのきわみを誇る商品やサービスも、やがてより上質な何かに追い抜かれる。そして階段を転がり落ちるようにして、ありふれた存在になるのだ。

一九一二年には、タイタニック号の一等船室で海をわたるのは、豪華な旅のなかでもひときわ贅を尽くしたものだった。だが、当時の一等船室を、カーニバルクルーズのバルコニー付きスイートと比べたらどうだろう。タイタニックは昔風の装飾がほどこされているが、カーニバルの船室のほうが空間にゆとりがあり、現代人にとってははるかに快適である。タイタニックの一等船室を押さえられるのは、大富豪だけだっただろう。しかし、カーニバルは中流ないし中の上に位置する人々を対象顧客としている。二〇〇八年には、一二八〇万人がカーニバルなどのクルーズに参加し、かのタイタニックにも引けをとらないような船室で海の旅を楽しんだと推計されている。(注14)二〇〇〇年ごろには、クルーズ船は一等船室といえどももはや一般の人々が利用できるものであり、決して格別な贅沢ではなくなっていた。

話題を戻すと、ティファニーは自社戦略のまやかしに気づいた。ブランド価値の低下を心配してフォーカスグループや顧客調査を実施したところ、ティファニー・ブランドはシルバーの安いアクセサリーを連想させるとわかった。ニューヨークでアパレル企業を経営する四十代半ばのバーバラ・グラフィオは、自宅に山のようにティファニー商品を持っていると言い、こう不満をぶちまけた。「今はもう使わないわ。だって猫も杓子もティファニーを持っているんですから。……以前は『ティファニーで何か買えたら』という憧れがあったけれど、そんな気持ちは冷めてしまったの」(注15)。

ティファニーは安いシルバー製アクセサリーの値上げに踏み切り、ショッピングモールめぐりが好きなふつうの十代の女の子たちを遠ざけた。と同時に、上流階級の顧客を大切にするという誓いを新たにし、店内を改装してきわめて稀少な高級ジュエリーを引き立てた。当初は、低価格商品の売上が激減したが、やがて高級アイテムの売れ行きが少しずつ回復していった。株価はいったん大きく下がり、しばらく方向感に乏しい動きをしたあと、二〇〇五年ごろから上昇へと転じた(二〇〇八年には金融危機のあおりを受け、小売銘柄の例にもれず株価はふたたび崩れたが)。ティファニーは幻影を追いかけるのをやめて自社ブランドを破滅から救った。

第III部

二者択一の決断

第9章 イノベーション

生き残りをかけたIBMの奇策

アーヴィング・ウラダウスキー・バーガーは、共産主義化する以前のキューバで育った。ロシアとポーランドから移民してきた父母は小売店を営んでいたが、アーヴィングが十五歳だった一九五九年、フィデル・カストロが政権をとったため、一家は親戚を頼ってシカゴへ逃れた。アーヴィングはやがてシカゴ大学の門を叩く。優秀な成績を修めて大学院まで進み、物理学の博士号を得た。七〇年にはIBMに研究員として採用され、自分でも研究者としての道を歩むものとばかり思っていた。ところが、マーケティング部門で一年ほど実務研修を受けたのをきっかけに、気持ちに変化が芽生えた。技術コンセプトを事業戦略につなげる才覚に目覚めたのだ。八五年にはメインフレーム事業部担当副社長の地位についていた。そして九六年、当時のルイス・ガースナーCEOから、

IBMのインターネット戦略全体を立案・実行するという重大な任務を与えられた。

IBMは二〇〇〇年、「リナックスOSを採用する」という世の中の意表を突く決断をして、しきりにメディアをにぎわせたが、その立て役者がウラダウスキー・バーガーだった。リナックスは、熱血プログラマーたちのコミュニティが無償で開発したオープンソースOSである。天下のIBMがこれを採用するという知らせは、テクノロジーの動向を追う人々にとって寝耳に水だったばかりか、道理に合わないのではないかという印象をも生んだ。ところが蓋を開けてみると、コンピュータ市場の重要なセグメントでIBMの形勢を上向かせるなど、輝かしい成果をもたらしたのだ。ウラダウスキー・バーガーの話をまとめると、この決断の肝は「上質と手軽を天秤にかける際に、イノベーションの役割をどう評価するか」という一点にかかっていた。

リナックスを採用するという決断は一九九〇年代終わりに遡る。当時のIBMは、ウェブサイトやメールなど、インターネット上のサービスを運営するための高性能サーバー事業で難題を抱えていた。世界最高水準の性能を誇るサーバーの開発にこぎつけ、AIXという、機能性、安定性で他の追随を許さない大型コンピュータ用OSを搭載していた。にもかかわらず、サーバー市場での売上は目に見えて減少していたのである。とりわけ、ソラリスOSを搭載したサンマイクロシステムズの機種が強敵として立ちはだかっていた。サンのサーバーは、性能ではIBMのAIX搭載機種に劣ったが、顧客の要望には十分に応える水準であり、価格は安かった。IBMはマイクロソフトのOSとインテル製チップを搭載したサーバーにも、顧客を奪われ始めていた。これもまた価格が安く、性能面ではＡＩＸにはおよばなかったものの、インターネット・アプリケーションを動かすぶんにはおおむね満足のいくものだった。

ウラダウスキー・バーガーは私の取材にこう答えてくれた。「ＩＢＭはひたすら極上を追求していたのです。……エンジニアリングやサポート業務に力を入れすぎるきらいがありました。ＡＩＸは最高級のＯＳです。たとえるならフォーシーズンズホテルのようなものです。ですが、誰もがフォーシーズンズに泊まれるわけではありませんよね（注1）」。

ＩＢＭは一般に、機能や性能を充実させ、高価格と高品質で競争に対応しようとしていた。これが功を奏する局面もあったが、ことサーバー事業に関しては実りはなかった。サンとマイクロソフトは、大容量サーバー市場でうまみのある位置を見つけていた。上質さではＩＢＭのやや下に、手軽さでははるか上に陣取ったのだ。この市場では、ＡＩＸ‐ＯＳを武器にサーバー業界の頂点を目指すＩＢＭの努力は空回りしていた。簡単な処理をこなすために大容量サーバーを必要とする顧客にとっては、ＩＢＭ、サン、マイクロソフト、いずれの製品でも用は足りた。このため多くの顧客から見て、三社の製品はいずれも上質であり、さらに性能が上がってもたいしたメリットはなかった。ＩＢＭのＡＩＸシステムは、たとえるなら、人間には聞き取れない音を伝える超高性能ステレオのようなものだった。

上質な商品がいくつもある場合、そのうちで最も手軽なものが顧客から選ばれる。逆に、手軽の軸上で複数の商品が競り合っているなら、そのなかで上質さで一歩抜け出したものが顧客の心をつかむ。ここにこそイノベーションや差別化の本質がある。商品やサービスにほとんど差がない時には、価格を安くした企業が勝つ。価格と入手しやすさが横並びなら、ほんの少し質を高めた者が勝者となる。ところが、企業はこの点を見落としてばかりいる。IBMの上層部は、「高性能なほうがよいはずだ」という思い込みにとらわれるあまり、大容量サーバー分野でサンやマイクロソフトに対抗しようにも、上質さをやや犠牲にしてその分手軽さを増すという道を選べずにいた。

とはいえ、リナックスの採用に乗り出すのは当時のIBMにとってはやはり苦渋の決断だった。ウラダウスキー・バーガーが言う。「リナックスを採用しなかったなら、大失態を演じていたはずです。もっとも、産業界には大失態が溢れていますがね」。AIXが苦境に陥っていたころ、彼はリナックス運動の盛り上がりに関心を寄せた。リナックス開発の音頭をとったのは、フィンランド人のプログラマー、リーナス・トーバルズである。トーバルズは、世界中の何百万人というプログラマーが余暇を使って少しずつプログラムを開発すれば、AIX、ソラリス、ウィンドウズの向こうを張るようなOSができあがるだろうと考えた。リナックスのプログラム・コードはネット上で公開され、誰でも開発や改善に取り組めたうえ、無償で使用できた。リナックスに触発されて、ソフトウェアやメディアの分野で多数のオープンソース・プロジェクトが生まれた。たとえば、ブラウザのモジラ・ファイヤーフォックスやオンライン百科事典のウィキペディアも、オープンソース手法の成果である。

一九九〇年代終わり、リナックスは大容量サーバーのOSとして使える水準に達しており、しかも無償だった。ソラリスやウィンドウズを打ち負かせないＡＩＸが、リナックスに太刀打ちできるはずはなかった。ＩＢＭではそのころちょうど、上級副社長のサム・パルミサーノが世界各地のネット企業の視察から戻り、「行く先々で、若くて活きのいいプログラマーたちがリナックスを話題にしていた」と報告した。ウラダウスキー・バーガーもリナックスについてしきりに耳にしていた。ＩＢＭは社内で検討を行い、サンとマイクロソフトの優勢を突き崩すためにリナックスを採用する計画をまとめた。パルミサーノとウラダウスキー・バーガーはこの計画を支持し、ガースナーＣＥＯの説得にも一役買った。ＩＢＭがリナックスＯＳを採用する――これは、既存の価値観に反する、とてつもなくリスクの大きい賭けに見えた。しかしウラダウスキー・バーガーは、「リナックスは私たちのニーズをみごとに満たしていました。ですから、『これを活かそう、リナックスを採用するんだ』と気勢があがりました」と語っている。

二〇〇〇年一月、ＩＢＭはリナックスＯＳの採用を発表した。世界最大のリナックス支援者となり、リナックス開発者たちのコミュニティにコードや技術を提供する。それとともに、ハイエンドの法人需要に応えられるように、安定性の向上を目指してリナックス開発部門を立ち上げる――。発表の席上、ウラダウスキー・バーガーは予防線を張り、記者たちに「正直なところ、リナックスの可能性は未知数ですから、今後のなりゆきを見守らなくてはなりません」と述べた。

リナックスはまたたくまに進化をとげて、サーバーＯＳとしてソラリスやウィンドウズとの比較に十分耐えるまでになった。サンはサーバーのハードウェアとソラリスを一括販売していた。他方

ＩＢＭは、リナックスＯＳが無償であるためサンよりも低い価格でサーバーを販売できた。ＩＢＭ、サン、マイクロソフトのサーバーは、性能ではほぼ互角だった。だが、ＩＢＭはこの奇策によってサーバー市場での劣勢を跳ね返した。最も敷居の高いＡＩＸサーバーを捨てて、最も手軽なリナックス・サーバーを市場に投入したのだ。上質さでほぼ互角なら、手軽さで優勢な者が勝者となる。二〇〇〇年代はじめには、リナックスＯＳを搭載した機種がサーバー市場のおよそ三分の一を占めていた。ＩＢＭは二〇〇一年、サーバー市場でのシェアが六・七％上昇したと発表し、二〇〇四年には、二位のＨＰ、三位のサンを抑えてシェア一位の座を揺るぎないものにしていた。

ウラダウスキー・バーガーはこうも語っていた。「上質さを武器とする企業と戦う場合、相手にあと一歩かなわなくても顧客からは十分に満足してもらえる、それくらいの上質さを実現するのは、さほど難しくありません。……ですが、仮にライバルが価格をかなり低く抑え、なおかつ顧客に満足してもらえる品質を実現したなら、こちらはひとたまりもありません。こういうことは絶えず起きていますよね。ＩＢＭはこのような圧力を受けて選択を迫られています。さらなる上質さを追求して差別化路線を突き進むのか、持続的なイノベーションによってこれまでより低い価格で上質さを提供しようとするのか。あるいは、今の市場セグメントからよそへ移るか。突き詰めていくと、えてして『上下どちらへ進むか、それとも退出するか』という問いにたどり着くのです」。

彼によれば、最善の選択はイノベーションに頼ることだという。突破口を開くには、斬新な何かに挑む必要がある。ＩＢＭはみずからリナックスを発明したわけではないが、無償のオープンソー

ＳＯＳを採用するという決断を下した。これも一種のイノベーションである。これによってＩＢＭは上質さと手軽さのグラフ上で従来とはまったく異なる位置へと移動し、大容量サーバー事業の劣勢をはねのけた。

7 お掃除ロボット「ルンバ」はなぜ大ヒットしたか

時折ではあるが、凄まじいまでのイノベーションによって戦略の変曲点が生まれ、業界全体が様変わりすることがある。すでに述べたように、消費者向けフィルム市場ではデジタルカメラの登場がこの役割を果たした。ＰＣがメインフレーム事業に与えた影響もこれと似ている。とはいえ、このようなイノベーションは稀にしか起きない。

ただし、これほど鮮烈ではないにしても、上質と手軽の天秤に変更を迫るイノベーションはさほど珍しくない。これに近いのは、リナックスを採用したＩＢＭの決断や、古くからの商品に新たな魅力を添える機能の発明などだろう。クアーズライトの「コールド・アクティベイテッド・パッケージ」を考えてみたい。中価格帯のビールはブランドによる違いがとらえにくい。そこでクアーズは二〇〇八年、心持ち上質さを添えるために、中身が冷えたらパッケージの色を変化させて飲みごろを伝えようと思いついた（これが他ブランドからの乗り換えをどれだけ誘ったかは定かではないが、クアーズライトはクアーズ社の稼ぎ頭となった）。

上質あるいは手軽をきわめる企業も、不毛地帯の奥底に沈んでまったく希望の見えない企業も、ごく一握りにすぎない。大多数はむしろ、上質さと手軽さをある程度備えながら、どちらか一方に傾斜している。競合企業はみな、上質さと手軽さのグラフ上で同じような位置に固まりがちである。そこから頭ひとつ抜け出すためには、一段上の上質さを目指すか、それともより手軽な方向へ一歩近づくか、心を決めなくてはいけない。なかには創意工夫によって、価格を据え置いたままで機能や品質を高めたり、逆に、機能や品質を保ったままで価格を下げたりする企業もある。ただし、ささやかな動きが生むのはささやかな勝利でしかない。これとは対照的に、世間の意表を突く卓抜なアイデアは、市場の勢力地図を大きく塗り替える可能性を秘めている。その手本を示したのがＩＢＭだが、同じことはコンピュータのような変化の激しい業界だけでなく、掃除機のような一見したところ変化の少ない成熟した業界でも起きる場合がある。

コリン・アングルは元来、掃除機ビジネスにたずさわるなどとは想像すらしていなかった。一九八八年、ＭＩＴ（マサチューセッツ工科大学）の学生だったアングルは、ロボット工学の権威ロドニー・ブルックス率いる高名なＭＩＴ人工知能（ＡＩ）研究所と出会い、数年後、ブルックス、研究所の仲間だったヘレン・グレイナーの二人とともに、商用ロボットの設計と販売を手がける会社を興した。ロボットの用途をはっきり思い描いていたわけではないが、アングルのもとには次々とヒントが寄せられたという。「技術と縁の薄い人に自己紹介すると、たいてい『部屋の掃除をしてくれるロボットを早くつくってよ』と言われました」(注2)。アングルはいつも笑みを浮かべてうなずいていたが、そのころ会社――のちのアイロボット社――が開発していたのは、海底鉱物資源の探査や、警察や軍隊の危険業務をこなすためのロボットだった。ところが、二つのプロジェクトをきっかけに会社は新たな方向へ歩み始めた。ひとつはSCジョンソンとの提携による、産業用の高価な床掃除ロボットの開発である。もうひとつのハズブロとの共同プロジェクトは、マイ・リアル・ベイビーという人形に人工知能を持たせるというものであり、アイロボットはこの仕事をとおして低コスト製造の秘訣を学んだ。この間にアングルは、「消費者向け掃除ロボットをつくってほしい」という熱い要望について考え始め、「価格二〇〇ドルのロボット掃除機をつくるべきだ」と決意した。(注3)

価格の安さは譲れない条件だった。「床掃除もできる高価なオモチャ」をつくるつもりはなく、人手を介さずに独力で掃除をこなす、一般の掃除機と張り合える商品を世に出したかったのだ。二〇〇〇年以降の掃除機市場は、価格が五〇～六〇ドルの安手の商品と、一五〇～二〇〇ドルの頑丈で性能のよい商品とに二極化している。なかには一五〇〇ドルもする高級品もあるが、およそ一般受けするものではない。そこでアングルは、一五〇～二〇〇ドルの価格帯で他社商品に負けない上質さを実現しようと考えた。二〇〇ドルの旧来機種と同じ働きをするロボットを、同じ価格で提供するのだ。

一五〇～二〇〇ドルの価格帯には何十年も前から、上質さでも手軽さでもほぼ横並びの掃除機がひしめき合っている。一部の機種は、手軽さを売りにするために価格を少し下げたり、上質さを添えるためにノズルや機能ボタンを増やしたりしたが、飛躍的な進歩は見られなかった。一五年ものの掃除機を使う人々はたいてい、ないものねだりなどしていなかった。

ビジネスの世界には以前から、「ドリルを買う人は、ドリルそのものを求めているのではなく、穴を開ける必要に迫られているのだ」という金言が伝わっている。目的を達するためには現状ではドリルを使うのが最善の方法だが、もっとよい手段があればそちらが選ばれるだろう。ドリルを使うか否かはどうでもよく、穴を開けられれば目的は果たせるのだ。同じことは掃除機についてもいえる。人々は掃除機が欲しいのではなく、床をきれいにしたいのである。だが何十年ものあいだ、床をきれいにするには掃除機を使うほかに方法はなかった。

二〇〇二年秋、アイロボットは掃除ロボットのルンバを発売した。床掃除の世界に絶えて久しかった飛躍的なイノベーションが起き、手軽度が大幅にアップしたのである。ルンバは平たい円盤のようなかたちをしていて、掃除機というよりむしろ、体重計とワッフル焼き器を足して二で割ったような外見である。コンピュータ、センサー、ＡＩを搭載しており、部屋の形状や広さを感知してすみずみまできれいにする方法を探る。すべてを自動でこなしてくれるのだ。ルンバを床に置いて電源を入れ、音を立てて動き出すのをたしかめたら、あとは何もせずに任せておけばよい。マーケティング・キャンペーンでは、吸引力と小さくて多彩なブラシを紹介して、同じ価格帯の掃除機のどれにも引けをとらない働きぶりをアピールした。アイロボットは二〇〇ドル前後の価格帯の市場に参入するにあたり、上質さでは他社と同等、手軽さでははるかに上を目指した。「ルンバを購入すれば、同じ価格の掃除機を使うよりも格段に少ない手間で、同じだけきれいな仕上がりが期待できます」というのだった。

二〇〇二年のクリスマス商戦では、ＩＴバブルの崩壊や9・11同時多発テロの後遺症で景気が冷え込むなか、ルンバは快調に売れ、二年後には累計販売数が二〇〇万台に達していた。(注4) 小売店との取引経験、流通チャネル、ブランド認知度など、何もない状態から始めてこれだけの実績をあげたのだ。アイロボットは成熟業界で手軽面のイノベーションを巻き起こし、数々のライバル企業から顧客を奪った。

アイロボットは、掃除以外の家事をこなすロボットも開発したいと考えている。アングルが語る。「価格対効果が既存商品と同じかそれ以上になるようなら、魅力ある商品といえますから、開発と製造に腰をあげますよ。家庭内には自動化の機が熟した仕事がまだまだあるはずですから」。アイロボットはこれからも、「働きと価格で既存商品に肩を並べたうえで、ロボットならではの手軽さを実現する」という方程式を頼りに前進していく予定である。

＊＊＊

春の陽射しがまぶしいある日、私はカリフォルニア州パサデナのアイデアラボ本社を訪ねた。設立者のビル・グロスへの取材が目的だった。グロスは、コメディ俳優のリック・モラニスを彷彿させる小柄でひょうきんな人物だ。アイデアラボの内部は、倉庫を思わせる開放的な空間をパーティションで仕切ってあり、その中央にグロスの執務スペースがあった。プラスティックでできたオレンジ色の本棚には、目新しい道具類《ガジェット》や工房から届いたばかりの完成まぢかの試作品が詰まっていた。アイデアラボは、インキュベーターとしてテクノロジー企業の育成に多大な成果をあげている。起業を助けて自社の庇護下に置き、事業を軌道に乗せ、やがて独り立ちさせるのだ。これまでにネットゼロ、シティサーチ、イートイズなどを独立へと導いてきた。もっとも、私が取材に訪れた日にグロスがとうとうと語ったのは、ほかならぬイーソーラーについてだった。イーソーラーは二〇〇七年四月、グーグルの慈善部門グーグル・オルグほかの投資家から合計一億三〇〇〇万ドルの資金を調達した。

イーソーラーは、大がかりな太陽光発電のコストを劇的に引き下げる方法を突き止めた。住宅の屋根にソーラーパネルを設置するというたぐいの話ではない。石炭や天然ガスを用いた発電所に代えて、太陽熱発電所を稼働させるのだ。従来もごくわずかながら太陽熱発電所があったが、イーソーラーの技術が生まれるまでは、膨大な土木作業を必要としていた。車庫くらいの大きさの何十枚もの放物面鏡を、地下六メートルに埋め込んだコンクリート柱にとりつけるのだ。しかも、発電塔のほうに正確に向けなくてはならず、わずかなズレも許されない。放物面鏡の働きによって太陽光が発電塔内の水送管へと反射し、その強烈な熱によって水が蒸気となってタービンを駆動して電力を生むのである。建設には多大なコストがかかるため、政府から手厚い補助金を得ないかぎり経済的に成り立たない。経済性を比べた場合、太陽光発電は石炭発電におよそかなわなかった。

グロスが育てたイーソーラーは、コンピュータ技術を駆使して太陽光発電の欠点を補う方法を見つけた。大きな放物面鏡を何十枚も用いる代わりに、冷蔵庫のドアくらいの鏡を何千枚も用意して金属フレームにとりつけ、小型モーターでそれらを制御するのだ。鏡は塔を取り巻くようにして地上のここかしこに設置する。デジタルカメラを使って太陽を追跡してその情報をコンピュータに送信し、モーターによる各鏡の角度調整に用いる。太陽光をできるかぎりたくさん集め、蒸気を生み出すパイプ内で燃やす。本書の執筆時点では、第一号の発電所が建設中である。グロスは、これがうまく稼働するのはもとより、建設コストも既存の太陽光発電所の何分の一かですむと自信をみなぎらせていた。「石炭発電よりもコストを低くするのが目標です」。壮大な目標だが、これを達成すれば太陽光発電が石炭発電に取って代わることができる。石炭発電所は大気中に炭素を排出して地球温暖化の大きな元凶となっているが、その石炭発電に代わる経済的な方法が生まれたらどうだろう。グロスは「世界を救うただひとつの方法は、石炭発電よりも低いコストで太陽光発電を行うことでしょう」と熱く語っていた。

ところで、消費者が消費するのは電力であって発電所ではない。しかも電力は一風変わった商品でもある。グロスに言わせると、「ただの電力ですからね、まったく特徴がありません。上質もへったくれもないわけです」ということだ。ほかよりも品質の高い電力、あるいは機能が豊富な電力といったものはありえず、すべて同じ働きをする。このため一〇〇年近くものあいだ、消費者が気にかけるのは手軽かどうかだけだった。電力がほぼあまねく安定供給される現在では、手軽かどうかはもっぱら料金によって決まる。料金を下げるのが電力を差別化するたったひとつの方法なのだ。

ところが、グロスは一味違ったひらめきを得た。近年では地球温暖化をめぐる懸念が深まっているため、おもに再生可能な資源を活かして発電した場合、その電力は「上質」という称号を手に入れられる。つまり、「太陽光発電のほうが好ましい」という考え方が、消費者のあいだに広まっていくはずなのだ。イーソーラーは、手軽さで他社と肩を並べたうえで上質さで勝ることにより、電力市場に風穴をあける可能性を秘めている。

低価格には質で挑むか、さらなる低価格で挑むか

ビジネス書の売り場にはイノベーション関連の本が溢れており、その多くは「どうやって斬新で気の利いたアイデアを生み出すか」というテーマを扱っている。上質と手軽の天秤というコンセプトは、この種のアイデアを市場のなかで位置づけ、それが商品やサービスの売上にどう貢献するかを見極めるのに役立つものだ。

「上質と手軽の天秤」はまた、ライバル企業がなぜ、どのように圧力をかけてきているかを解き明かし、対応策を編み出すうえでも有用である。ライバル企業は、上質と手軽どちらの方向から攻めてきているだろうか。何が最適な対応だろうか。手軽さを武器とする相手にさらなる手軽さで対抗するのか、それとも上質面で相手を出し抜くのか——。答えはブランド、業界、その時々の状況によって異なるだろう。上質さと手軽さのバランスを分析すると、選択肢を絞り込むためのヒントが

得られる。

一九八〇年代、アメリカの航空各社はピープル・エクスプレスに対抗するために、上質さと手軽さを意識したみごとな戦略を取り入れ、敵をまたたくまに市場から退出させた。

私にとってピープル・エクスプレスは懐かしい存在である。ピープルは一九八一年にニューアークの国際空港を拠点に就航したのだが、当時私はニューアークから国道一号線で二〇分ほどのラトガーズ大学に通っていた。飛行機に乗り慣れた人々にとってピープルの登場は衝撃だった。チケット価格は長距離バスとあまり変わらないほどの安さ。一時期は、ニューアーク―ワシントンDC間が片道なんと一九ドルだった。サービスは必要最低限のレベルに徹底的に絞り込まれていたが、人々は破格の安さに吸い寄せられるようにしてピープルを選んだ。これは消費者にとって歓迎すべき状況でもあった。他方、大手航空会社にとっては悪夢にほかならなかった。

一九七八年以前、航空業界は連邦政府の厳しい規制下に置かれ、価格も規制によって縛られていた。価格競争などほとんどなかったため、各社とも上質さで勝負するのがならわしだった。たとえば一九七七年にTWAが打ったCMは、「快適な旅のために」というコピーのもと、東海岸から西海岸へ飛ぶエコノミークラスの乗客をステーキ・ディナーでもてなすと謳っていた。ユナイテッド航空は一九七〇年代、DC-10のエコノミークラスに、乗客どうしが歓談するための「フレンドシップ・ラウンジ」を設けた。広告でチケット価格に触れることはまずなかった。

ドナルド・バーはこのころ、テキサス・インターナショナル航空の社長を務めていた。カーター政権のもと一九七八年に航空規制が緩和されると、バーは手軽さを軸とした競争の火蓋が切って落とされるだろうと予想し、テキサス・インターナショナルを退社した。そしてボーイング737－100を一七機リースするとともに、ニューアーク空港北ターミナルの空き倉庫を借りた。彼が創業したピープル・エクスプレスは、コンピュータ予約システムやファーストクラスを持たず、機内食も映画も提供しなかった。労働組合の結成を阻み、賃金を安く抑えた。乗客ひとりを一マイル飛行させるためのコストはわずか五・二八セントだった。当時の業界平均は八・六セントくらいだろう。コストの開きがあまりに大きかったため、ピープルは他社がとうていおよばないような常識はずれの低運賃を実現できた。ピープルには乗客が殺到してきた。創業から四年後にはアメリカ第五の航空会社へとのしあがり、ロンドン、ブリュッセルなど一〇七都市に就航していた。八五年には売上が一〇億ドルに達した。これは当時の最速記録だった。(注5)

一九七〇年代後半、アメリカの大手航空会社はどこも上質を軸にほぼ横一線の競争をしており、機内食にステーキを出すといった小手先の差別化をはかるだけだったため、業界内で圧倒的な優位を築くことはできなかった。そこへ殴り込みをかけたのがピープルだった。ピープルは、上質さでは他社より数段下ながらも許容水準を保ち、手軽さでは図抜けていたため、少しずつ主力エアラインから乗客を奪っていった。

ダラスにあるアメリカン航空の本社では、ロバート・クランドルCEOが焦燥に駆られていた。ピープルがダラスへ飛び始めてからは、いっそう苦悩が深まった。クランドルが上質vs手軽という切り口で対策を検討したなら、手軽には手軽で応酬するという選択肢を思いついていただろう。一例として、コストと運賃が安く、上質度の低い航空会社を傘下に設け、ピープルに真っ向勝負を挑むのだ（ユナイテッド航空は一九九〇年代にこの戦略をとり、サウスウエストなどの格安エアラインに対抗するためにテッドを就航させた）。あるいは、自社サービスの上質度を高めて低運賃を重視する旅行客を遠ざけ、運賃は高くても手厚いサービスを望むビジネス客などをとりこむのも一案だっただろう。どちらも一定の成果を生んだかもしれない。ところが、クランドルが選んだのは周囲の度肝を抜くような画期的な戦略だった。ピープルに手軽さで肉薄しながらも、同時に上質さで突き放そうというのだ。

クランドルの用いたイノベーションは、「イールド・マネジメント」という揺籃期の技術を活かすものだった。ちょうどコンピュータの専門家たちが、シミュレーションソフトの作成方法を突き止めようとしていた。過去のチケット価格や座席利用率を路線ごとに分析して、ビジネス客から安いチケットでの帰省を望む学生まで、さまざまな乗客でいかに座席を埋めるかをシミュレーションするのだ。これにより、今ではすっかりおなじみのチケット販売手法が生まれた。搭乗日の何週間も前に週末をはさむ往復チケットを購入すると安上がりだが、直前になってからとんぼ返りの往復チケットを購入すると価格は高めである。長距離路線の安値は格安エアライン以下かもしれないが、高値はその四〜五倍にものぼりかねない。アメリカン航空のイールド・マネジメント・システムは、高めのコスト構造のもとで機内食や映画など主立ったサービスを提供しながら潤沢な利益をあげる

ために、チケット価格をどう設定すべきかを算定するものだった。(注6)

一九八五年、アメリカン航空のシステムはクランドルの狙いどおりに稼働していた。格安チケットを求める乗客にとって、アメリカンは以前とは打って変わってピープルと同じくらい手軽な選択肢になったわけだが、サービスの質でははるかに勝っていた。こうしてアメリカンを選ぶ乗客が増えていった。しかも、傘下で格安エアラインを立ち上げるのと違い、サービスは従来どおりの高水準を保っていたため、高いチケットを購入する乗客から背を向けられることもなかった。

ピープルはお手上げだった。チケットは限界まで安くしてあったため、引き下げる余地などまったくなかった。格安一本槍の価格設定が災いして、サービスを向上するための資金もなかった。ピープルは破産へと追い込まれた。およそ一〇年後の一九九六年、バーは事の顚末を次のように振り返った。

「ピープルは一九八一年から八五年にかけては活力に溢れ、利益もあがっていました。ところが一転して苦境に立たされ、単月での損失が五〇〇〇万ドルにものぼったのです。……当社に異変があったわけではありません。アメリカン航空が、あらゆる市場で幅広いイールド・マネジメントを実践したため、それが状況の変化につながったのです。こちらは運航開始からずっと利益をあげていました。ところが、アメリカンの『アルティメイト・スーパー・セイバーズ運賃』によって息の根を止められたのです。アメリカンは水面下で意図的に当社よりも安いチケットを売ることができたわけですから、こちらはただ手をこまねくほかありませんでした」(注7)

クランドルは、上質さと手軽さを天秤にかけるという定石に沿って鮮やかにイノベーションを成しとげ、ピープルを打ち負かしたのだった。

第10章 破局

ゲイツも飛びついたテクノロジー史に残る大失敗事業

一九九四年二月、カリフォルニア州モントレー近郊。海沿いの風光明媚なペブルビーチ・ゴルフコースには、トム・ワトソンやジョニー・ミラーらプロゴルファーと、企業のCEOやセレブが集まっていた。AT&Tペブルビーチ・ナショナル・プロアマチュア・ゴルフトーナメントが開催されていたのだ。そこにはAT&TのロバートＴ・アレンCEOの姿があり、マイクロソフトのビル・ゲイツCEOも招待参加していた。この直前にゲイツはアレンに、マイクロソフトとAT&Tの提携を持ちかけていた。この打診をきっかけに、AT&T社内ではマイクロソフトと組むのが果たして賢明かどうか、激しい議論が巻き起こっていた。当時のマイクロソフトは、テクノロジー業界でおそらく並ぶ者のないほど大きな影響力を誇り、荒っぽい事業戦術で知られていたのだ。ゲイツとアレンのあいだにはよそよそしい空気が流れ、シアトル在住の大富豪クレイグ・マッコーが二人のあいだを取り持とうとしていた。マッコーは全米規模の移動通信サービスをいち早く開始した人物であり、その事業を売却した相手がAT&Tだった。

「アレンとゲイツに言ったのです。『二人とも理屈に合わないふるまいをしているのではないか』と。独自路線にこだわりすぎているように見える、とね」。マッコーはこう私に語っていた。ペブルビーチでの話し合いは進まず、マイクロソフトとAT&Tの提携は今にいたるまで日の目を見ていない。ただし、トーナメントの開催中にマッコーはゲイツと内々の会話を交わした。「ゲイツにこうささやきました。『私の構想に一枚嚙まないか。思い切って参加してほしい』とね。さすがビル・ゲイツ、さっそく乗ってくれましたよ」(注1)。

ゲイツが飛びついたのは、テクノロジーの歴史上に残る失敗事業である。テレデシックと名づけられたその事業は、八四〇もの衛星を軌道に乗せて、地球全体をカバーする高速無線インターネット・システムを築くという、気宇壮大な構想にもとづいていた。ところがテレデシックは結局、最初の衛星さえも打ち上げられず、ゆっくりと事業停止へと向かっていった。

ゲイツとマッコーはともに、先見性を強みにしてテクノロジー業界で凄まじいまでの成功を収めた人物である。その二人がなぜ、これほど大きくつまずいたのだろうか。テレデシックには、彼らがおのおの五〇〇〇万ドルの私財を投じたほか、ボーイングが一億ドル、サウジアラビアのアルワリード・ビン・タラール王子が一億ドルを出資した。モトローラが技術供与や業務請負、ロッキード・マーチンは衛星打ち上げの契約をテレデシックと結んだ。

テレデシック構想のおおもとをたどると、GPS（全地球測位システム）メーカーのマゼランを起業したエド・タックに行き着く。タックは、レーガン元大統領の戦略防衛構想（通称「スターウォーズ計画」）にもヒントを得て、おびただしい数の低軌道衛星を地球を取り囲むように配置して、それぞれにネットワークの切り替えスイッチのような役割を担わせようと計画した。これには衛星八四〇機を要するとされ（のちに二八八機に減らされた）、総コストは最低でも九〇億ドルにのぼるという見積もりだった（外部からは、テレデシックのコストはこの二倍以上に達するだろうという見方も出された）。マッコーは一九九〇年にこの構想に魅せられ、まずはタックのR&Dに密かに資金を出していた。一九九四年、ペブルビーチでマッコーがゲイツと会話を交わした一カ月ほどあと、テレデシックはFCC（連邦通信委員会）に免許申請を行った。この書類がおおやけになると、テレデシック関連の見出しがあらゆる新聞の一面を飾った。あまりに根ほり葉ほり詮索されたため、マッコーとゲイツは狐につままれたようだったという。マッコーは私に、メディアがテレデシックをしきりに取り上げたのは、「二人のやんちゃな金持ちが、ついに常軌を逸した行動に出た」というストーリー立てにしやすいからだろうと思った、と語っていた。

マッコーとゲイツがテレデシックの将来を楽観したのにはいくつもの理由があった。一九九四年時点では、インターネットは一般の人々のあいだではほとんど知られていなかった。九五年刊行のベストセラー『ビル・ゲイツ 未来を語る』でゲイツは、インターネットにほんの二、三カ所、それもさらりと触れているにすぎない。マッコーとゲイツは、テレデシックこそが時代を先取りするものであり、いわゆる「情報スーパーハイウェイ」の重要な局面を切り開く手段になるだろうと信じていた。創業まもないころのテレデシックの資料に記されていたように、「世界人口の半数は今なお、二時間以上かけて遠出しないかぎり電話をかけられない環境で暮らして」いた一方で、音声ばかりかデータや映像を用いたコミュニケーションが必須の時代が幕を開けようとしていた。アメリカの電話会社は依然として基幹以外のネットワークに銅線を用いており、それでは高速データ通信サービスを提供できなかった。ケーブル会社も双方向通信には対応できずにいた。世界のほかの国や地域、とりわけアジアや旧ソ連圏では、通信システムの整備はいっそう遅れていた。移動通信ネットワークも成熟しておらず、速度の遅いアナログ信号を用いていた。要するに、九四年の段階でテレデシックは、グローバル規模のインターネット・プロバイダーとしての繁栄が約束されているように見えたのだ。「二〇〇二年にサービスを開始する」という計画を予定どおり実現しさえすれば、バラ色の未来が開けるはずだ――。

一九九〇年代終わりに取材した時の言葉から推測すると、マッコーがテレデシック事業が大きな賭けであることを心得ていたのは明らかだ。彼はこう述べたのである。「あまりにも無鉄砲ですから、ほかの会社が模倣してくるとは思えません。……正気の沙汰ではないからこそ、競争から守られているのです」。

テレデシックという通信システムは、一九九四年に不毛地帯の奥底に宿った。予定どおりに事が運んだとしても、サービス開始は八年も先だった。衛星を軌道に乗せて稼働させるにはそれほど長い歳月を要した。すべての準備が整うまでサービスは始まらず、テレデシックは八年ものあいだ上質でも手軽でもないままでいた。

この間にテクノロジーの世代交代が何度も起き、上質さと手軽さの基準が上昇をつづけた。一九九四年にテレデシックは、上質と手軽の両方をきわめようと構想していた。しかし二〇〇二年には、九四年にはおそらく存在さえもしていなかった技術によって、テレデシックの目標を上回る上質さと手軽さが達成されていた。テレデシックは、構想時には最先端の理想的なテクノロジーに見えたかもしれないが、商品やサービスの成否は絶対的なモノサシで決まるのではない。競合と比べた優劣で決まるのだ。通信分野のテクノロジーが九四年から進歩しなかったなら、テレデシックは完成して、膨大な利用者を獲得したかもしれない。しかし現実には、テクノロジーが猛烈な勢いで進歩したため、テレデシックは文字どおり離陸する前に時代遅れになり、無用の長物となってしまった。テクノロジーの進歩を見落とし、悲惨としかいいようのない末路を迎えたのだった。

テレデシックと上質vs手軽の関係について、今度はべつの観点から考えてみたい。一九九四年に作成された資料からは、テレデシックが最初から幻影を追い求めていた様子がうかがえる。(注2) 高速インターネット・サービスを提供して、既存のあらゆる固定網を凌ぐスピードと安定性を実現し、最高のインターネット・プロバイダーの地位を手に入れられると考えていたのだ。同時に、地球上のどこででも手ごろな料金で利用できるただひとつのネットワークとして、手軽さをもきわめられると踏んでいた。だが、すでに述べたように、二兎を追い求めても無駄骨に終わるだけだ。通信速度、ひいては上質さで決してほかの追随を許さないためには、衛星の高度化に莫大な投資をしなくてはならないため、世界のマスマーケット向けに料金を低く抑えるのは不可能だっただろう。

以上は、後知恵では簡単に気づく点ばかりだ。しかし、当時は果たして容易に理解できただろうか。このような分析をするには、通信テクノロジーがどう進歩するかを正確に見通さなくても、「八年のあいだには確実に進歩するだろう」と肝に銘じておきさえすれば十分だったはずだ。だからこそ、幻影を追いかけるのは誤っている。テレデシックが仮に最初から手軽さのきわみを目指したなら、上質なサービスに手の届かない顧客、あるいは上乗せ価格を払いたくない多くの顧客に向けて、質の面で納得してもらえるグローバル・システムを低コストで提供することを考えたのではないか。そうすれば、通信業界のウォルマートになっていただろう。ところが実際には上質さと手軽さを兼ね備えようとしたため、どっちつかずのサービス、愛されもせず必要ともされないサービスしか提供できない運命にあった。

テレデシックは結局、腰砕けになった。テクノロジー動向や市場見通しが変化したため、技術者たちは何とかそれに合わせようとしてシステムの再設計、業務委託先の変更などを試み、既存の衛星システムにテレデシックを搭載する方法を探った。一九九九年八月、モトローラの主導によりテレデシックとほぼ同時期に構想された壮大な衛星プロジェクト、イリジウムが破産を申請した。これを受けて、投資家はテレデシックへの追加の資金提供を見合わせた。二〇〇二年秋、つまり本来ならサービスを開始するはずだった時期、テレデシックは暗礁に乗り上げ、資金が底を突いていた。そして衛星の準備をすべて凍結して事業を停止したのだ。

■「上質と手軽」の選択を見誤らないための五カ条

たいていの企業はいつかの時点で味噌をつけるものだ。IBMは消費者を惹きつけようとしてPCjrを投入し、コカ・コーラはニューコークで大失態を演じ、ソニーはベータマックスを開発し、フォードは伝説的ともいえる失敗作エゼルを世に出した。どのような経営モデル、精緻なアルゴリズム、新しい発想法をもってしても、稚拙な判断をなくすことはできないだろう。ただし、上質と手軽の天秤というコンセプトを用いると、競争状況、テクノロジーの変化、顧客の嗜好などを考えに入れながら、商品や投資にどれだけの価値があるかを見極めることができる。CEO、起業家、経営チームにとっては、苦境を予見するのにも役立つだろう。

私はこれまで、ビジネスの大失敗の数々を詳しく取材して記事にした。それらの事例に上質と手軽の天秤というコンセプトを当てはめてみると、五つの留意点が浮かび上がってくる。具体的な新商品の構想を前にして「これで勝負に出ようかどうか」と迷っているなら、まずはその商品を市場のどこに位置づけるかを決めるとよい。そう、上質と手軽を二軸にとったグラフを描いて、グラフのどこに新商品が収まるかを見極めるのだ。以下に留意点を示したい。

①テクノロジーの進歩を見落としてはいけない。 上質かどうか、手軽かどうかの基準は、テクノロジーの進歩によって絶えず引き上げられていく。この二つを軸にしたグラフ上での商品やサービスの位置づけは、日々変化していくはずだ。そのせいもあって、構想から市場投入までの期間が死命を制するのである。開発に時間がかかればかかるほど、商品やサービスが市場に登場するまでに上質と手軽の基準が大きく動いてしまう。グーグルはテクノロジーの進歩に対抗するために、新商品のベータ版をできるだけ早く公開し、そのうえでテクノロジーの変化に合わせて手をくわえていく。もちろん、この手法は万能ではない。エアバスは超大型旅客機A380の開発・製造に一一年の歳月を費やし、二〇〇七年に運用開始にこぎつけた。エアバスは、「A380は従来とは比べものにならないほど上質であるため、テクノロジーの進歩を加味してもなおブレークスルーになるはずだ」と祈るような気持ちだったのではないか（航空業界ではウェブの世界よりもテクノロジーの進歩がゆるやかであるため、これもエアバスに味方した）。

②商品やサービスの成否は、目新しいかどうか、時流に乗っているかどうかよりも、上質と手軽のさじ加減で決まる。 これは勘違いしがちな点である。多くの企業は世間をアッと驚かせるような商品やサービスを考案する。そして、知り合いやフォーカスグループに意見を求めると、「素敵！」「惚れ惚れする」といった心強い意見が聞こえてくる。ところが広大な市場においてカギを握るの

は、上質さと手軽さ、どちらかでライバルを打ち負かせるかどうかなのだ。一九九〇年代半ばのゼネラル・マジックや、現在のキンドルを考えてほしい。どちらもテクノロジーの輝かしい成果であるし、これまでになかった商品であるのは誰もが認めるところだろう。だが、上質と手軽を軸にしたグラフ上では、ゼネラル・マジックは不毛地帯のなかで身動きがとれずにいた。キンドルも不毛地帯に生まれ落ち、何とか脱出の方法を探そうとしているところだ。

③上質と手軽のどちらをどれだけ重視するかは顧客層ごとに異なる。若者が手軽だと感じるテクノロジーも、年配者にとっては不便かもしれない。新しいもの好きにとっては、新鮮で意外性に満ちた商品はオーラをまとい極上に見えるが、一般の消費者の目にはさほど魅力的には映らない。新しいもの好きから熱く支持されたからといって、決してそれだけをよりどころに商品やサービスの市場性を評価してはいけない。

④商品やサービスを小さく生むと、小回りが利くため、テクノロジーの進歩や競合他社の動きに対応しやすい。テレデシック、イリジウム、ウェブバンのように、最初から大がかりなプロジェクトを構想すると、状況の変化やテクノロジーの進歩に適応しにくい。開発に何年も要するような商品やサービスはきわめてリスクが大きい。これから数年間にテクノロジーの進歩がどう利いてくるか、予想するのが難しいからだ。

⑤新しいテクノロジーは必ずといってよいほど不毛地帯で産声をあげる。不毛地帯から抜け出すのは、上質あるいは手軽、どちらか一方で頂点を目指すという、鮮明な方針のもとで開発されたテクノロジーである。両方を手に入れようとすると、あぶはち取らずになる。

ジョブズとベゾスが絶賛したセグウェイの不発

この一〇年で、先進性と意外性に満ちた商品といえば、真っ先に名前があがるのがセグウェイだろう。セグウェイの先行きをあらかじめ見通そうとしたなら、上質と手軽の天秤というコンセプトがヒントになったのではないだろうか。

ディーン・カーメンは小さいころから機械いじりが好きな神童だった。一九五一年にロングアイランドに生まれ、中学生になると自宅の地下室にこもって音響・照明システムの制御装置をつくっていた。高校に入学するころには趣味が高じて副業となり、ニューヨークのヘイデン・プラネタリウムから契約を獲得したり、タイムズスクウェアの大晦日恒例のボールドロップを自動化する仕事を依頼されたりした。高校を卒業するとウォーセスター工科大学に入学したが、授業そっちのけで自分の発明に没頭していたため退学処分になった。独り立ちしたあとは医療機器の発明に心血を注いだ。早い時期の発明成果には「オートシュリンジ」という持ち運び可能な点滴ポンプがある。この商品が生まれたことにより、患者は病院以外の場所でも点滴を受けられるようになった。カーメンが主宰するＤＥＫＡリサーチ・アンド・デベロップメントは、先進的な医療機器を次々と世に送り出した。その集大成として一九九〇年代終わりには、車椅子を手放せない人々に向けて、六つの車輪がついたｉＢＯＴ《アイボット》という「移動機」を発明した。価格二万ドルのｉＢＯＴは、テクノロジーの粋を結集したものであり、階段をのぼる、二つの車輪を使って立ち上がる、人間が両足で立つ時よりもうまくバランスをとるといった特技を持っていた。このころのカーメンは、アメリカ国防総省や西海岸の技術者などから注目され、心酔者も増えていた。(注3) ｉＢＯＴの発明を機に、「不可能に近いことを可能にする人物」という評判を得た。

ｉＢＯＴ用に姿勢制御システムを開発したのをきっかけに、カーメンは従来とは異なる分野にも関心を注ぎ始めた。ｉＢＯＴの完成度を高める努力をつづけるかたわら、「ジンジャー」というコードネームで秘密プロジェクトを立ち上げ、シリコンバレーの大所わずか数人に計画を明かした。相手は伝説的なベンチャーキャピタリストでネットスケープ、アマゾンなどキラ星のようなテクノロジー企業を支援したジョン・ドーア、アマゾンのジェフ・ベゾス、アップルのスティーブ・ジョブズらである。ドーアとベゾスは、カーメンがこの事業のために設けた新会社に投資した。二〇〇一年にはジンジャーの正体をめぐってさまざまな憶測が流れるなか、ドーアが「（カーメンの新会社は）史上最速で一〇億ドルの売上を達成するだろう」と予測した。ジョブズはメディアを前にして、カーメンの発明はＰＣを上回る衝撃をもたらすだろうと語った。(注4)

カーメンが二〇〇一年十二月にジンジャーこと「セグウェイ」を披露すると、世界中のメディアが大々的にこれを取り上げた。ついに姿を現したセグウェイは、一言で言えば型破りな電動スクーターだった。最も目を引いたのは姿勢保持と操縦の仕組みであり、重心をわずかに移動させるだけで操縦できた。人々は興味津々だった。カーメンは、セグウェイは都市部では自動車に代わる人々の足となり、都市計画のあり方を変えるだろうと予想し、メディアの取材に「セグウェイはクルマに取って代わるでしょう。クルマが馬車を廃れさせたようにね」と述べた。彼はニューハンプシャーに、月に四万台のセグウェイを生産できる工場を設けた。

ところが、セグウェイを普及させようにも難題があった。一台三〇〇〇ドル以上もしたほか、歩道を走るにはスピードが速すぎ、公道で交通の流れに乗るには遅すぎた。ショッピング袋を収納したり、子どもを乗せたりする仕組みもなかった。どこに停めるのか、建物内に持ち込んでもよいのか、という懸案もあった。セグウェイは、実用的な移動手段というより高級なオモチャに近かった。

カーメンが上質か手軽かの二者択一を考慮したなら、セグウェイの位置づけはべつのものになっていただろう。都市部の交通とセグウェイをめぐる彼の考えから推察するに、最もふさわしい位置づけは「都会の移動手段」だと思われる。都会で移動するなら格段に手軽なのは歩くことだ。お金がかからず、予約の必要もない。他方、上質な交通手段は自動車である。自動車を購入して駐車場を確保するには費用がかかるが、自分や親しい人たちだけの移動手段であり、悪天候にも強く、個性の表現にもつながる。タクシーは自家用車ほど快適ではないが、手軽さではやや勝る。地下鉄、バス、オートバイ、自転車、スケートボードなども、上質と手軽のグラフ上でそれぞれの位置を占めている。

ではセグウェイはどういった位置づけだろうか。価格が高めであるうえ、公道や歩道で必ず使えるわけでもないのだから、手軽とはいえない。他方、ショッピング袋を抱えて雨のなかをセグウェイで移動する経験を一度でもした人は、「タクシーやマイカーのほうがずっといい」と身にしみているだろう。このため、「都会の移動手段」というカテゴリーのなかでは、セグウェイの居場所は現状では不毛地帯しかありえない。しかも、そこから脱出する方法も見当たらないのだ。セグウェイが快適さで自動車と張り合うためには、トランクと覆いが欠かせないだろう（二〇〇九年、セグウェイはGMとともにPUMAという二人乗りセグウェイの試作車を公開した）。仮に価格が三〇〇〇ドルから三〇〇ドルに下がれば、セグウェイは今より手軽になってマスマーケットに浸透するかもしれない。ただし、さしあたってはカーメンにそのつもりはないようだ。

セグウェイはたしかに魅力ある乗り物だが、都会の移動の足としては実用的ではない。テクノロジー好きで裕福な一部の消費者はセグウェイに熱をあげている。しかし、彼らは典型的な初期《アーリー》購入者《アダプター》である。セグウェイは最初から鳴り物入りで登場したため、ニーズ、状況や技術の変化などに合わせて進化するという道のりを歩んではこなかった。開発に何年も費やし、ニーズを生み出すための下地づくりを入念にしたうえで市場に投入されたのだ。だが、一般の人々はセグウェイに必要性を認めず、三〇〇〇ドル払ってもいいと思うほどは愛しもしなかった。しかもセグウェイには、必要とされるため、あるいは愛されるための方策もなかったのだ。

セグウェイはニッチな法人向け市場に居場所を見つけた。アマゾンの広大な倉庫から注文品を探し出す担当者や、ニューヨークのセントラルパークを巡回する警官にはニーズがあるようだ。このような例をべつにすると、主として可処分所得の多い人々のオモチャになっている。有名どころでは、アップルの共同創業者スティーブ・ウォズニアックが、セグウェイを使ったポロ競技会を始めた。

カーメンはセグウェイの累計販売数を明かしていないが、発売からおよそ五年後の二〇〇六年秋、全モデルを対象にリコールが行われた際の総数は二万三五〇〇台だった。(注5) セグウェイは今も事業をつづけており、市内観光ツアーの運営会社や空港警備会社といったニッチ分野への売り込みに力を入れている。とはいえ、月産四万台はおろか年産四万台にも達しておらず、まして都市計画に革命を起こすにはほど遠い状況である。

アップルが思い出したくない悪夢

アップルのニュートンが大失敗に終わり、パームのパイロットが大ヒットしたのは、いったいなぜだろうか。

手のひらサイズのコンピュータの先駆けであるニュートンとパームは、およそ三年の歳月をへだてて世に出された。ニュートンを生んだのは、数十億ドルの売上を誇り、多くの人々に愛される光り輝くブランドを擁する企業である。片やパームパイロットを開発したのは、資金がいまにも枯渇しそうな捨て身の起業家だった。ところが、ニュートンはアップルの社史に残る汚点となり、パームは彗星のように現れて大ヒットした。いったい何が両者の運命をわけたのか。上質vs手軽という観点から見てみよう。

一九九三年八月、私はニュートンの発表会を取材した。アップルがこの日のために借りた壮麗なボストン・シンフォニーホールには、世界中から経営者やジャーナリストが押し寄せて立錐の余地もないほどだった。メディアの世界では、あの小さなコンピュータをめぐって狂騒が繰り広げられていた。コンピュータ雑誌を発行するオーストラリア人ギャレス・パウエルは私に向かって、「ニュートンは世界を変える、間違いない」とまくし立てた。(注6)

PDA（携帯情報端末）という概念は、すでに何年か前から一般の人々のあいだにも浸透し始めていた。「楽に持ち運びできる、コンピュータ並みの機器をつくろう」というアイデアは、PDAによってはじめて現実味を帯びた。当時の携帯電話はあくまでも会話のツールにすぎなかった。片やPDAは「SFの世界が現実になる」というワクワク感を呼び覚ました。コンピュータをポケットに入れて持ち運べる――これは夢のような話だった。数多くの企業が挑戦に乗り出した。AT&Tは、携帯電話と一体になったEOというPDAの販売を試みた。しかし、およそ「持ち運び可能」とはいいがたい代物だった。シリアルの箱ほども大きく、『戦争と平和』のハードカバー版ほど重かったのだ。カシオが開発したＺｏｏｍｅｒ《ズーマー》は、ＥＯよりは小さかったが性能面では冴えなかった。世の中は謳い文句どおりのＰＤＡの登場を待ちわびていた。

アップルがニュートンの構想を明らかにしたのは一九九二年一月。当時のジョン・スカリーＣＥＯが、コンシューマー・エレクトロニクス・ショーの基調講演で触れたのだった。それから一年半以上ののちにボストンでお披露目されたニュートンは、ペーパーバックほどの本体にグレースケールのタッチスクリーンとプラスティック製のタッチペンがついていた。タッチペンで文字を書くと、ソフトウェアがそれを認識してデータに変換するという触れ込みだったが、認識率はおそろしく低く、たいていのユーザーは苛立ちをおぼえた。ニュートンはほかに何ができるわけでもなかった。コンピュータやネットワークへの接続機能が用意されてはいたが、実際には異様に手間がかかり、単体の機器というのがほんとうのところだった。カレンダー、アドレス帳、ノートパッドなどがついていて、価格は六九九ドルから一五〇〇ドルだった。

ボストンの発表会で私は二〇分ほどニュートンを使い、正直なところがっかりした。アップルにニュートンの試用機を送ってもらえないかと問い合わせたところ、先方は否定的な記事を書かれるのをおそれたのだろう、まずはカリフォルニア州クパチーノのアップル本社に赴いてニュートンの講習会に参加してほしいという返事だった。講習会に参加しないと使えないような商品は、それだけで先行きが危ぶまれるというものだ。(注7)

果たして、ニュートンへの反響はさっぱりだった。市場から期待はずれと受け止められたのである。大きすぎて値段も高いうえ、これといった機能も見当たらない。何より手書き認識率が低すぎた。ニュートンは大失敗し、これがスカリー追放の序曲となった。スカリーはニュートン発表の数カ月前、一九九三年六月にCEOから会長へ退いていたが、一〇月には会長の椅子も失った。九八年、アップルはニュートンの製造と販売を停止した。

上質と手軽の天秤というレンズをとおして眺めると、一九九三年の時点でニュートンにはまったく見込みがなかったといえる。上質vs手軽という切り口で分析するなら、ニュートンはカレンダー、メモ、住所録、メール、To-Doリスト、家計簿などを含む「個人の情報管理」という市場に位置づけられる。コンピュータと呼ぶにはお粗末すぎたし、通信機器としても近年のブラックベリーなどの足元にもおよばなかった。ありていに述べるなら、メモ帳にさも立派そうな体裁を与えたにすぎず、その領域では紙とペンで十分だった。上質をきわめたのはラップトップ・コンピュータだろう。より広い市場のなかで見ると、ニュートンは不毛地帯に落ち込んでいた。手軽さでは紙に、上質さではラップトップに劣っていたのだ。たいていの人にとってはニュートンを購入する理由などなかった。しかもアップルは、上質さや手軽さの面で付加価値をつける方法を見つけられなかった。こうしてニュートンは市場から消え、そのせいでアップルの評判は何年ものあいだパッとしなかった。

ニュートンの不振は、パーム・コンピューティングという小さな企業を破滅の淵へと追いやった。パームは一九九二年、敏腕技術者のジェフ・ホーキンスと女性経営者ドナ・ダビンスキーにより、

PDA用ソフトウェアを開発するために立ち上げられた。この背景には「PDAビジネスが離陸期を迎えようとしている」という判断があった。ところがニュートンが失速したあとは、PDAという商品カテゴリー全体が見込みのないもののように見えた。ホーキンスはパームの創業一〇周年の折に、当時を振り返ってこう語ってくれた。「PDAの不振が相次いだせいで、誰もがこの事業を見限ろうとしていました。当社で働きたいという人などひとりもいませんでしたよ(注8)」。

会社が危機的な状況にあった一九九四年ごろ、ホーキンスはダビンスキーとともに、若手ベンチャーキャピタリストでパームの出資者でもあるブルース・ダンレビーと会合を持ったという。「私たちはブルースのオフィスを訪れました。ドナが、『パームには人材が集まらなくなってしまい、資金も調達できないわ』と窮状を切々と訴えました。するとブルースが『もし、いっさいの制約なしに理想の商品をつくれる状況だったら、どんな商品を世に出すか、頭に描いていますか』と訊いてきたので、私はうなずきました。ほんとうは考えたこともありませんでしたから、いわばハッタリを利かせたわけです」。

ホーキンスはダンレビーの言葉にはっとさせられた。独自商品をつくることこそパームの選ぶべき道だ、というのだ。「私は『ブルース、そのためにはハードウェア、ソフトウェア、OSをすべて独自に開発して、マーケティングも行わなくてはいけない』と切り返しました。ちなみに、当社は三〇〇万ドルの資金があり、二七人の従業員がいましたが、そのなかでハードウェア分野の経験者は私だけでした。ですから『それはとんでもない難題だ』と言ったのです。すると『ほかにどんな道がありますか? ゆっくりと破たんを待つとでも?』とブルースが問い詰めてきたので、『わかった、何とかしよう。ブルースが了解してくれるなら、さっそく始めるとしよう』と啖呵を切りました」。

ホーキンスの言葉を聞きながら、ダビンスキーは頭のなかでソロバンをはじいたという。「独自のPDAを開発する資金はありました。ですが、製造まではまかなえそうもありませんでした」。

奇妙にも、当人が自覚していなかっただけで、じつはホーキンスは手のひらサイズのコンピュータが市場に受け入れられる条件を見抜いていた。すべて頭のなかに入っていたのだ。彼はほかの機種が軒並み市場から消えていく様子を眺め、その失敗から教訓を得ていた。ダンレビーと会った日、帰宅したホーキンスはパームパイロットの構想を一夜にして練り上げた。それを取締役会と出資者に示したところ、「なんて破天荒な!」という声があがったという。それでもホーキンスはひるまず、同僚のエド・コリガンとともにパームパイロットの設計と開発を進めた。一九九六年二月、テクノロジー業界の一大コンファレンスDEMOに試しに出展してみたところ、予想を超える好意的な反響があった。ダビンスキーが言う。「『これならうまくいく』、そう手ごたえを感じました。おおぜいの人々が買ってくださるだろうとね」。

パームにあってアップルに欠けていたものは何だろうか。パームパイロットとニュートンにはおもに四つの違いがあり、それらが積み重なった結果、上質と手軽を軸にしたグラフ上での両者の位置には大きな開きが生じていた。

何より効いたのは、ホーキンスが、当時の手書き認識技術の限界を打ち破るグラフィティという画期的な文字入力方式を開発して、パームパイロットに取り入れていたことである。スクリーン上のタッチパネル部分に簡略化した文字を入力すればいいのだ。使いこなすには少しばかりの経験を必要としたが、便利な方法だったのはたしかである。PCとのあいだで簡単に同期ができた点も大きな進歩だった。クレードルにセットしてボタンを押すと、PCと情報交換をして互いのカレンダーや文書を更新するのだ。

ほかにも二つの違いがあった。パームパイロットはニュートンよりも小さくポケットやサイフに入ったうえ、最低価格がおよそ三〇〇ドルと安かったのである。

グラフィティ、クレードル、小型サイズ。これらすべてが使いやすさを高めるのに役立った。従来のPDAはおしなべて使い勝手が悪くイライラを募らせたが、パームパイロットは満足のいくものだった。とりわけ、テクノロジーに詳しい利用者にとっては垂涎の的だった。発売からほどなく「時流に乗った新商品」というオーラも生まれた。飛行機の搭乗ゲートでパームを手にしていれば、「流行に敏感でテクノロジー・トレンドの最前線にいる」という印象をふりまくことができた。情報管理に関してはラップトップ・コンピュータほどきめ細やかではなかったが、それでも十分に許容範囲であったし、手軽さではラップトップに勝っていた。何しろポケットに収まり、単四電池二つで動き、価格はラップトップの数分の一なのだから。このような特徴が相まって、パームはPDAとしてはじめて、初期購入者だけでなく幅広い顧客に長く使われる商品になった。

奇縁だが、アップルは二〇〇七年にｉＰｈｏｎｅを開発してニュートンの呪縛をみずから解き、パーソナル機器のメーカーとしてどこよりも熱い視線を浴びた。片やパーム・ブランドは苦境に陥っていた。たとえ大失敗しても挽回は可能であるし、逆に、船出が順調だったとしてもいつまでも順風満帆とはかぎらないのだ。

＊＊＊

テスラ・モーターズは上質な電気自動車をいち早くつくり、マスマーケットを席巻しようとしているが、シャイ・アガシはこれとは異なるアプローチをとっている。みずから興したベタープレイス社を率いて、ガソリン車よりも手軽な電気自動車を市場に送り出し、幅広い顧客層を惹きつけるつもりでいるのだ。

これは高い理想に根差した、世界を変えようとする壮大な計画である。二〇〇八年末の時点でベタープレイスには二億ドルの資金が集まっていた。テレデシックの二の舞にならないためには、これからが正念場である。

アガシはイスラエルで育ち、ソフトウェア会社を興してやがてドイツの巨大企業ＳＡＰに四億ドルで売却した。精力的で休むことを知らないアガシは、ＳＡＰで何年か活躍したあと気候変動に関心を寄せるようになり、二〇〇七年、四十歳にして世界の自動車、石油業界に革新を起こすためにＳＡＰを退社した。

アガシの計画の柱をなすのは、自動車業界のビジネスモデルを根底からくつがえすような着想である。携帯電話業界と似た仕組みを取り入れようとしているのだ。携帯業界では、通信事業者がメーカーに補助金を出すのが慣例となっており、たとえばAT&Tワイヤレスはノキア、サムスンなどの機種に補助金を出している。自社のサービスに加入した顧客に、携帯電話を無償提供あるいは大幅割引するのだ。それでも事業者は通信料収入で元をとれる。アガシの構想は、電気自動車を充電するためのステーションをいたるところに設けて、自動車が充電ステーションに乗り入れたらものの数分で電池を充電ずみの新しいものに交換するというものだ。自動車を対象に、携帯電話と同じような補助金を出すのである。フォード、トヨタ、タタなど、すべてのメーカーのすべての車種にベタープレイス製の交換可能な電池を搭載してもらい、ベタープレイス側でその費用を負担すれば、電気自動車をガソリン車より安く販売できるというわけである。携帯事業者が通信料を徴収するのと同じように、ベタープレイスは電気使用量を収入源とする。その金額はおおむね走行距離と比例するはずである。（注9）

ベタープレイスの構想は次のようなものだ。利用者は自分の好みの車種と、一カ月の走行距離に応じたパッケージ——月一〇〇〇マイル・コースなど——を選ぶ。自宅ではコンセントをとおして充電する。走行中に電池の残量が少なくなったら、ベタープレイスの充電ステーションに寄り、充電ずみ電池を受け取る。ベタープレイスは各利用者の電気使用量を把握して、それをもとに請求書を発行する。アガシの算段は、電気自動車をガソリン車よりも安く販売し、走行距離あたりの費用をガソリン車よりも割安に抑えられれば、人々はベタープレイスへなだれを打つはずだというものだ。環境への配慮の高まりを考えに入れるなら、ベタープレイスが人気を博すのは間違いないだろう——。

二〇〇八年のテクノロジー・コンファレンスでアガシはこう述べていた。「最も望ましいのはオープン・プラットフォームを設けることです。当社がプラットフォームを用意して、自動車メーカーにアプリケーション、つまり自動車をつくってもらうわけです」(注10)。

アガシはイスラエル政府からの後押しをとりつけた。政府としては、自国でベタープレイスに実績をあげてもらいたいという腹づもりである。ベタープレイスはイスラエルでも有数の資産家イダン・オファーから一億三〇〇〇万ドル、さらにはモルガン・スタンレーとベンチャーキャピタル数社から合計三〇〇〇万ドルの出資を受けた。ルノーはベタープレイスに対応する車種の開発に乗り出し、二〇一一年の完成を目指している。アガシの構想は着々と実現へ向かっているように見える。

では、上質と手軽の天秤という切り口で分析するとどうなるだろうか。ベタープレイスはテレデシックと同じく、複雑で大がかりなシステムを築かないかぎりサービスを開始できない。人々は、「どこでも充電ずみ電池が手に入る」と安心できないかぎり、ベタープレイスの利用を真剣には検討しないだろう。自動車メーカーの側でも、「充電ステーションが整備され、消費者がベタープレイス対応の車種を購入するはずだ」と確信できないかぎり、対応車種の開発に踏み切ろうとはしないだろう。ベタープレイスが目指すのは、電気自動車をガソリン車よりもやや手軽にすることである。そのためには、電気自動車と電池がガソリン車とガソリンよりも心持ち安く、入手しやすさでは同等以上にならなくてはいけない。これらすべてが実現しないことには、決して普及しないだろう。

アガシは、これがいかに気の遠くなるような仕事であるかを心得ており、テクノロジー・カンファレンスの場でも「世界最大のインフラ・プロジェクトを遂行しようとしています」と語っていた。いったいどれくらいの期間がかかるのか、という問いには明確な答えを示さなかった。仮にルノーが開発中の車種が二〇一一年中にお目見えしなかったなら、ベタープレイスの構想がかたちになるまでにはさらに何年もの歳月を要するだろう。

テレデシックの場合と同じくベタープレイスもまた、五年後、一〇年後の状況を想定したうえで上質と手軽のグラフ上で自社の位置決めをしなくてはならない。そのあいだに、テクノロジーの進歩によって上質と手軽の基準は上昇をつづける。ベタープレイスは、個人や家族の移動手段として手軽をきわめたいというが、いざサービスを開始するころには、べつの何かに先を越されているかもしれない。ベタープレイスには、小さく始めてテクノロジーの動向を睨みながら進歩していくという選択肢はない。構想を一〇〇％実現した状態からスタートするため、誰の目にも明らかなかたちですぐに勝負がついてしまうのだ。

テレデシックは予見しなかったが、高速無線ネットワークは地球上の広い範囲にすみやかに張りめぐらされていった。これと同じく、上質と手軽のグラフ上でベタープレイスが目指す位置を、一

○年後にどんな企業が占めているかは、まったく予測がつかない。たとえば燃料電池の分野でブレークスルーが起きれば、電気自動車が充電なしに走行できる距離が五〇〇マイル（八〇〇キロ超）にまで延び、電池交換の必要性がほとんどなくなるかもしれない。超高効率のハイブリッド・エンジンが市場を席巻する可能性もあるだろう。アプテラモーターズという会社は、一ガロンのガソリンで三〇〇マイルも走行するガソリン車を開発した。BMWは水素駆動自動車の実験を行っている。これらのテクノロジーが進歩して、ベタープレイスが目指す超手軽な自動車の座を獲得してしまう可能性も、ゼロではないはずだ。

上質vs手軽という視点は、アガシが挑んでいるような大胆な施策の本質を解き明かし、実現へのハードルの高さを浮き彫りにする。

ダイムラーのディーター・ツェッチェCEOは二〇〇八年半ば、二〇一〇年までに高級車メルセデス・ベンツと小型車スマートの電気自動車版を発売すると打ち上げ、電池を製造してリースや交換を行うことも検討していると述べた。ベタープレイスと似た構想である。たとえベタープレイスの構想が「あまりに向こう見ずで成功しそうもない」と判明したとしても、アガシの着想に刺激された他社が、テクノロジーの進歩に柔軟に対応できる地に足の着いた取り組みを始めるかもしれない。

第11章 光明

一流大学に対抗できる教育事業のかたち

シリコンバレーの錚々たる経営者たちのなかでも、私がこれまで取材に最も長い時間を費やした人物は、スコット・マクニーリである。マクニーリはサン・マイクロシステムズを創業して二〇年にわたって舵取りし、コンピュータ業界の巨大企業へと育て上げた。ふつうの人が「インターネット」という言葉を耳にするはるか以前に、マクニーリはテクノロジー史上でも稀に見るほど先見性に溢れたフレーズを掲げていた。そう、「ネットワークこそコンピュータだ（The network is the computer.）」である。一九九〇年代には、周囲が怖気づくのを横目にマイクロソフトの独占的な事業戦術に噛み付き、ウィンドウズを「ヘアボール（いやなやつ）」と呼ぶなど、しばしば愉快なジョークを飛ばしたものだ。

二〇〇八年のある朝、私たちは彼の自宅からクルマで数分のレストランで朝食をともにした。木々に恵まれた一帯のショッピングセンター内にある小ぢんまりした店だった。マクニーリはすでにサンのCEO職を離れて会長に退いていた。この日の話題もサンにまつわるものではなかった。マクニーリは近年、テクノロジー業界のオープンソース・モデルを教育に応用することに情熱を傾けており、それについて語り合おうというのだった。サンは非常に早い時期からオープンソースを提唱しており、Javaをオープンソース化したことにより、この概念がいっそう脚光を浴びるきっかけをつくった（Javaのオープンソース化は、純粋なオープンソースとはやや異なり、サンがJavaの開発の指南役を果たすというものだが、おおもとの発想は共通している。世界中の数多くのプログラマーがJavaの開発にかかわることができ、Javaのコードは誰に対しても無償で公開されるのだ）。

マクニーリは、オープンソース・モデルが小学校から大学までの教育に凄まじい影響をおよぼすはずだ、という確信を深めていた。オープンソース教科書をつくるために、Currikiというプロジェクトに資金提供ほかの後押しをしている。このプロジェクトでは、何千人もの教育関係者がオンライン教科書の作成にたずさわっており、その成果はネットを介して無償で生徒や学校に公開される予定である。これが実現すれば、従来型の教科書の執筆や出版を脅かしかねない。ちょうど、ウィキペディアの登場が百科事典を脅かしたのと同じである。マクニーリはレストランでオムレツとフルーツを平らげながら、オープンソース教育は教科書づくりにとどまらない大きな可能性を持っている、と言い切った。高い学費をとってあれもこれもと詰め込む講義主体の高等教育は、もうすぐかつてない存続の危機に直面するだろう。オープンソース型の高等教育をオンラインで受ければ、学費はハーバード大学に四年間通うのと比べて何分の一かですみ、大卒者を求める雇用主から見て十分な素養が身につくのだ――。

「大学は自分たちの存在意義を問いなおす必要に迫られるだろう。図書館つきのアメフトチームを運営するつもりなのかとね。……多くの大学の実態はこれと変わらないのだから」

マクニーリは一時間にわたってオープンソース教育について熱弁をふるった。皿が空になり、ウエイトレスがコーヒーのおかわりを注ぎにきた。そのあとマクニーリは身を乗り出すようにして、教育行政や大学側がオープンソース教育の脅威に気づかないほうが好都合だ、と小声で言った。「(少なくともオープンソース教育の普及にはずみがつくまでは)教職員組合に反対運動を起こしてほしくないからね」

じつのところ、「低コストのオープンソース型オンライン教育を武器に、教育界に革命を起こそう」という発想は、二〇〇八年にはすでに導火線に火がつき、爆発的な普及に向けて火花を散らしていた。シリコンバレーやインドネシアなどさまざまな地域や国において、一部の果敢な大学や起業家がこのコンセプトを試そうとしていた。センター・フォー・エクセレンス・イン・ハイヤー・エデュケーションの事務局長フレッド・フランセンは、「従来型の教育は費用対効果があまりに低いですから、新規参入の余地があるわけです」と語っていた。フランセンの組織は、大学への寄付金が効果的に使われるように、寄付者である富裕層に助言などをしている。そのような立場から見ると、たいていの大学のビジネスモデルはあまりにもろく、おおぜいの二歳児が遊び回るなかにトランプカードの塔が立っているようなものだという(注1)。

マクニーリやフランセンほか多くの人々が教育の現状を不安定なものとみなしているわけだが、これは上質と手軽の天秤とも大いに関係している。大学に通うのは上質な経験である。それ相応の職や社会的地位につながるような貴重な学位を得たい人にとって、道筋はほぼひとつにかぎられる。認可大学に応募して入学許可をもらい、人生でもかなり大きな買い物に相当するほどの学費を払い、故郷を離れて見知らぬ土地へ移るのだ。すべてはまる四年をかけてきわめて幅広い充実した経験を積むためである。

高い権威とその裏づけを備えた大学は、学生が在籍する四年のあいだ一貫して超上質の教育を提供しつづける。上質の軸の最上位に並ぶのは、ハーバード、イエール、スタンフォードなどの名門校である。学費の高さと入学の難しさで並はずれており、美しいキャンパスを持ち、強烈なオーラを放つほか、学生にも貴重な個性を与える。これ以外の難関校も上位に集まる。州立大学は一般に、以上のような難関校と比べると少しばかり手軽だが(学費も入学のハードルも低い)、上質という面ではやや劣る(強いオーラや個性とは無縁である)。とはいえ、れっきとした四年制大学はみな上質に分類できるのだ。しかも、上質度の高いもののつねとして手軽度はかなり低い。入学選考をくぐり抜け、高い学費を払い、家族のもとを離れて見知らぬ誰かと寮の小さな部屋で共同生活をしなくてはならないのだ。

では、高等教育のほとんどが上質面で勝負しているなら、手軽面をきわめる選択肢はないのだろうか。音楽のMP3に相当するものは、今の高等教育には存在しない。簡単に安く手に入りながら、企業のマネジャーから価値を認めてもらえるような学位はないのである。とんでもない不釣り合いだ。上質と手軽のバランスがひどく崩れてしまっている。

裏を返すなら、そこには大いなるチャンスがあるということだ。

私はこの本の執筆準備をしながら何度も、上質vs手軽というレンズをとおして市場セグメントを眺めたが、そのたびに、上質のきわみと手軽のきわみという、みごとに対極をなす商品やサービスが目に入った。愛される商品やサービスと必要とされる商品やサービス、両方が必ず存在するのだ。空の旅を例にとるなら、専用ジェットが上質のきわみ、サウスウエスト航空が手軽のきわみであり、どちらも事業がうまくいっている。高級カメラの対極にはカメラ付き携帯がある。これが自然な状態のようだ。どの業界や市場でも、上質の頂点を目指す企業がある一方、手軽をきわめようとする企業があり、それ以外の企業は上質と手軽のグラフの一面に散らばる。日々の経験のなかでもこれは直感的に納得できるだろう。どの市場にも、上質をきわめて成功している企業、手軽をきわめて人気を集めている企業、両者のはざまでさ迷う企業が見られるのだ。

時として市場のバランスが完全に崩れることもある。さまざまな力により、上質ないし手軽、どちらかの商品の登場がはばまれると、すべての商品が一方向に偏ってしまうのだ。顧客はおおむね「そういうものだろう」と状況を受け入れながらも、心のすみには「何かが違う」というひっかかりも抱えている。きしみが生じるのだ。気骨ある起業家が現れて、市場のぽっかり空いた領域を埋めようとしても、現状を保とうとする巨大な力によって跳ね返されてしまう。しかし、市場にとてつもなく広大な空白が生じているのはたしかだ。そしていずれはどこかの企業が、防波堤を突き破るようにしてその市場を押さえるだろう。

高等教育の市場もこのような状況にある。優れた代替システムが現れなかったせいで、大学教育システムは何世紀ものあいだ変わっていない。技術面の制約により、教え手と学び手を一堂に集めないかぎり、双方向の充実した教育を提供できなかったのだ。この一〇〇年のあいだに、「学位を授与できるのは認可大学だけであり、専門性の高い仕事をするにはおおむね学位が欠かせない」という強い先入観が生まれた。高等教育に適した新しいテクノロジーが生まれても、秩序立った認可制度の壁によって新規参入者によるイノベーションがはばまれてきた。

テッド・レオンシスは、「グーグルが世界最高の教授陣一〇〇人を引き抜いてサイバー大学を開校し、広告を収入源にして学費をタダにすれば、高等教育の世界をいとも簡単に揺るがせるだろう」と語っていた。そのとおりかもしれないが、ひとつ難題がある。グーグルが大学を運営するには高等教育委員会の認可が必要だが、この委員会を運営するのは伝統的な高等教育の世界に根をおろし、その世界にどっぷり浸かった人々なのだ。事実、高等教育委員会のウェブサイトには、既存の制度を突き崩そうとする動きを牽制するメッセージが掲載されている。「オンライン大学が急増していますが、それらは未認可であるか、アメリカ教育省が関知しない団体による認可しか受けていないおそれがありますので、十分にご注意ください」(注2)。

現在では、高速インターネット、コンピュータゲーム、ソーシャルネットワークなどを組み合わせれば、学費の安いきわめて手軽なオンライン高等教育を提供できるはずだ。キャンパスの風景を目にすることも、そこでのさんざめきを耳にすることもなく、教授陣との交流や同級生とのビールのかけ合いなども経験できないだろう。だが、必要な知識が身につき、それを証明する学位も得られる。フェニックス大学はこれに近い存在であり、高等教育委員会の認可も得ている。ただし、完全なオンラインではなくキャンパスでの授業もカリキュラムに組み込んでいる。

ほかにもさまざまな組織、起業家、政府などが手軽さを売りにした大学づくりを模索しており、香港、インドネシア、カナダなど、アメリカ以外の地域での試みも少なくない。マクニーリの構想のもとではおそらく、グローバル規模の単一のオープンソース大学が設けられるだろう。マクニーリらは、近い将来、誰かが必ず新しいタイプの大学を開校するはずだと確信している。

世界の超名門大学が消えてなくなることはなく、上質vs手軽という図式のなかで上質をきわめた存在として輝きつづけるはずだ。とはいえ、かなりの数の人々は、より手軽な選択肢がある状況では、「職を確保したわけでもないのに、多額の借り入れをしてまで上質な教育を受けるのはリスクが大きすぎる」と判断するかもしれない。多くの消費者が、何代もつづく地場の商店からウォルマートへ大挙して乗り換えた。それと同じように、多くの学生は旧来型の大学で四年を過ごすよりも、ラップトップ・コンピュータやスマートフォンを活用して、安く手軽にそれ相応の学位が得られればそのほうがよい、と考えるかもしれないのだ。

市場の空白を見極めるレンズ

フレッド・スミスは、一九七一年にフェデラル・エクスプレスを創業した時の自分を振り返り、「かなり無茶をしたのかもしれない」と感慨にふけっていた。アカデミー・オブ・アチーブメントのインタビューにこう答えているのだ。「思い返せば、現在のようなサービスの仕組みを築こうとするのは無謀もいいところでした。初期費用がかさみ、いくつもの規制変更を必要としましたから。ですが当時、私はそんなことは少しも知りませんでした(注3)」。スミスは一九六六年にイエール大学を卒業して海兵隊に入り、そこで物資の輸送がしばしば混乱する様子に接した。「このため、フェデックスを起業しようという構想がかたちになっていったのです」。民間に戻った彼は、非常に有望そうな事業チャンスに目をとめた。当時、遠く離れた地に書類を送る方法はひとつしかなく、それはきわめて手軽な選択肢だった。アメリカ郵政公社のサービスを利用するのである。全米にサービス網が張りめぐらされていて、安価で便利だった。ただし、相手のもとに届くまでに日数がかかるうえ、型にはまったサービスであるため、利用者ごとの事情には配慮してくれなかった。重要な書類を月曜日に投函しても、それが先方に届くのが水、木、金曜日のいつなのかはわからない。郵政公社は二〇〇〇年にわたってアメリカの郵便サービスを牛耳っており、これにはいくつか理由があった。ひとつには、ほかによい方法が考案されなかった。二つ目として、アメリカ政府は郵政公社に書類配送の独占権を与えており、スミスが起業を思い立った時もその独占権は生きていた。

スミスは、上質な配送サービスに事業チャンスを見出した。翌日には確実に相手のもとに書類が届くことを保証し、その代わりに上乗せ料金を徴収するのだ。ごく一般的な郵便物の取り扱いをめぐって郵政公社と競争するつもりはなかった。ただ、貴重な郵便物については、手厚いサービスがないように思えたのだ。新しいテクノロジーが突破口を開いてくれそうだった。配送物を追跡したり、トラックや航空機の複雑な路線網を管理したりするのに、コンピュータを活かすのである。

ただし、難題はほかにもあった。フェデックスは一九七一年、小包配送サービスを開始したが、郵便については七〇年代後半まで郵政公社の独占がつづいたのである。ところが八〇年代になると、産業界にとって、法的文書、重要書簡、契約書などを配送するうえで、フェデックスや類似のサービスはなくてはならない存在になっていた。翌日到着の配送サービスは、郵便業界の上質vs手軽のグラフ上で従来は空白だった半分を埋めた。フェデックスはわずか二〇年で大企業へと躍進し、以後も成長をつづけて二〇〇七年には三五〇億ドルもの売上を記録した。

二〇〇〇年以降、インドのタタモーターズも市場における上質と手軽のアンバランスに気づいた。ヘンリー・フォードはかつて、T型フォードを発売して自動車を一般の人々に身近なものにしたが、それから一〇〇年ののち、自動車業界は方針を変えて価格の高い車種に力を注ぐようになった。大手自動車メーカーは軒並み、新車の価格を最低でも一万五〇〇〇ドルから二万ドルに設定し、高価格帯では数十万ドルの車種も売り出した。

技術の粋を集め、多彩な機能を備えたこれら車種は、一面では豊かな国々の消費者の望む条件、つまり、快適さ、安全性、信頼性、さらには多くの場合、大きさや馬力をも満たそうとするものだった。自動車業界はおのずとこうした傾向を強めていった。GM、トヨタ、フォルクスワーゲンなどは製造のインフラを拡充しており、高価格帯の車種を売る必要があったのだ。自動車製造の仕組み全体が上質な車種を売ることを前提として成り立っていたため、当然ながら各社は高級車を設計・販売し、それが上質な車種の需要を押し上げる効果を生んだ。

自動車がおもに豊かな国の人々が購入するものだった時代には、以上のような仕組みはうまく回っていた。しかし二〇〇〇年ごろには、インド、中国、ロシア、ブラジルなどで従来とは異なるタイプの買い手が登場していた。これらの消費者にとってクルマはもはや高嶺の花ではなかったが、大手メーカー製の上質な車種にはいまだ手が届かなかった。世界銀行の二〇〇八年の推計によれば、年間所得が三六〇〇ドル以上一万一〇〇〇ドル未満の人口は世界で八億人にのぼるという。この層は一万五〇〇〇ドルの車種を購入することができず、ガタのきた中古車や二輪車に甘んじていた。インドのムンバイやバンガロールを訪れると、親子四人が一台のスクーターに乗って乱雑な街のなかを縫うように走る、シルク・ドゥ・ソレイユの曲芸さながらの光景に接するだろう。

こうして二〇〇〇年以降、既存の自動車メーカーがいっせいに上質を目指す一方、手軽な車種への需要が急拡大していた。インドでは中流家庭の年間所得がおよそ六〇〇〇ドルであるため、ほとんどの人にとってはGMのシボレー・バイブでさえ値段が高すぎて手が出なかった。新車市場には、超手軽の領域にぽっかりと大きな穴が開いていたのだ。

ラタン・タタは、一四〇年の歴史を誇るタタ・グループの経営を一九九一年から担っている。タタは多角化した複合企業であるため、往々にして「インドのGE」とも呼ばれ、傘下にはタタモーターズがある。ラタンはタタモーターズにインドの中流階級向けの車種をつくるよう命じ、「価格は一〇万ルピーに抑えるように」と指示した。つまりおよそ二五〇〇ドルだが、安いからといって、車輪のうえに空のビール缶を載せたような粗悪なものではいけない。実質をともなっている必要があったのだ。二〇〇八年はじめ、タタはナノを発表した。ミニバンを小さくしたような卵形の車体で重量はわずか六〇〇キロ。ガソリン一ガロンで七六キロ走行でき、最高速度は一〇〇キロを超える。(注4)二〇〇九年半ばの発売に先立ち、アナリストたちはインドの年間の自動車販売数がナノ効果で二〇%押し上げられるだろうと予測した。ナノの構想を知った日産・ルノーのカルロス・ゴーンCEOは、社内に「二〇一〇年までに三〇〇〇ドル未満の車種を開発するように」と檄を飛ばした。主立った自動車メーカーはみな、ナノの動向を固唾を呑んで見守った。「ナノのような手軽な車種は大きな需要を生むだろう」というのがおおかたの見方である。

フェデックスやナノが広く受け入れられるのは、後知恵では当然のことのように思えるかもしれない。しかし、上質か手軽かの二者択一というレンズは、この種の事業機会をあらかじめ見つけ出すのに役立つ。

市場に上質または手軽どちらかの商品やサービスしか存在しないなら、おそらくその逆の領域には大きな空白が生じているだろう。市場を眺める時はこの点に着目するとよい。ネット検索が好例だろう。二〇〇〇年以降の検索市場は、手軽な検索エンジンであるグーグルの独壇場となっている。グーグルはどこでも無償で簡単に利用できる。必ずしも愛されてはいないかもしれないが、必要とはされている。上質とはおよそいいがたく、ご存じのようにウェブサイトはじつに素っ気ないものだ。画面に大量の検索結果を表示するが、利用者がほんとうに求めるものが何かを追求しようとはしない。この一〇年というもの、アスク・コムやチャチャなどが上質な検索エンジンを提供しようとしてきた。二〇〇八年には、スタンフォード大学の博士課程にいた二人の起業家がＫｏｓｍｉｘを立ち上げた。この二人は九八年に、草創期のグーグルを一〇〇万ドルで買収するチャンスを逃したともいわれている。これら企業はみな、検索市場では上質寄りの部分に空白が生じていることに気づいているのだ。

上質あるいは手軽のどちらか一方だけが重視され、その反対の位置がぽっかり空いている状況は、おそらく数多くの市場で見られるはずである。つまり大きなチャンスが転がっているわけだ。アメリカの医療市場もその一例である。

どうすれば医療を手軽なものにできるか

ウェブスター・ゴリンキンは医療の世界に飛び込んだが、医大出身ではなく、医療機関との接点もまったくなかった。おそらく、だからこそチャンスに目をとめたのだろう。

一九八〇年代にゴリンキンは、ふつうの人々は健康関連の情報を簡単には手に入れられないことに気づいた。いまだインターネット時代は幕を開けておらず、ケーブルテレビではスポーツからペットまでありとあらゆる専門チャンネルを展開していた。そこでゴリンキンは、医療をテーマにしたドキュメンタリーを制作したらどうかと思い立ち、アメリカズ・ヘルス・ネットワークというケーブル・チャンネルを展開するようになった。九九年、彼はこの会社をフォックス・エンターテイメントに一億三五〇〇万ドルで売却した。多彩なウェブサイトが誕生していたため、医療情報の不足が解消されるだろうと考えたからだ。ところが、ゴリンキンが私に語ってくれたように、医療情報が豊富になっても、依然として十分な医療を受けられない人々がおおぜいいた。健康保険に加入している人々にとってさえ、診察を受けるのは費用がかかりイライラが募った。蛍光灯が煌々ともる待合室で一時間も待たされたあと、ようやく対応してくれるのが医師ではなく看護師だとあっては、なおさらだった。ゴリンキンは事業機会がありそうだと感じながらも、先行きをはっきりとは見通せないまま、インターフィットという若い企業を買収した。インターフィットは職場の健康管理を手がけ、GEなどを顧客としていた。ほどなくインターフィットは、ウォルマートなどの小売店でインフルエンザの予防接種や血圧測定などを不定期に実施するようになった。ゴリンキンは「お客さまから当社のサービスについて、『とても便利なのでもっと実施してほしい』という声が頻繁に寄せられ、勇気づけられました」と語っている。(注5)

アメリカの医療界はおしなべて上質を目指している。世界最高の水準を誇り、費用もきわめて高い。医師の診察を受けるには、予約をしたうえで病院を訪れるか、救急診療室に飛び込んで何時間も順番を待つか、どちらかである。医師は医療過誤訴訟をおそれるあまり、検査やレントゲン撮影などを多用しすぎるきらいがあった。保険会社も、高額医療費の一部または全部を肩代わりして患者負担を軽くすることにより、はからずも高度な医療を後押ししていた。費用のほとんどが保険でカバーされるなら、より高度な医療を受けたほうが得だというわけだ。州の規制、アメリカ医師会、各種の法律や組織が、現状にお墨付きを与えることによって手軽化を否定して医療の上質さを守った。ゴリンキンがインターフィットの経営を引き継いだころには、医療市場の手軽寄りの領域には巨大な空白があるように見え、これは非常に魅力的に映った。ただし、高等教育の分野と同じように大きな壁が立ちはだかっていた。誰かが制度の偏りを打ち破らなくてはならなかった。

ゴリンキンは「どうすれば医療をもっと手軽にできるか」と頭をひねりつづけた。ひとつには、罹患率の低い難病を避け、多くの人々が罹りやすく治療も容易な疾病だけを対象とするのがカギだった。「二五から三〇ほどのごく一般的な症例への対処と、基本的な健康診断や予防接種などの予防医療にサービスを絞り込みました。対象を狭めれば、使い勝手と効率が格段によくなり、費用もかなり抑えられますから」。

ゴリンキンは社名をインターフィットからレディィクリニックに改め、AOLの元CEOスティーブ・ケースから出資を得た。そしてウォルマートほかいくつかの小売チェーンと、店内にクリニックを開設する契約を交わした。こうすれば、のどの痛みを感じた人がクリニックで診察を受けてから店内で買い物をすますことができる。処方箋が出た場合には、クリニックのすぐ脇の薬局で薬を受け取ればよい。レディィクリニックは患者ひとりあたりの対応時間を一五分以内に抑え、待ち時間のイライラを防ごうとしている。結膜炎五九ドル、コレステロール値の測定三九ドルなど、項目ごとの料金を一覧表示している。各クリニックには医師よりも人件費の低い臨床看護師を配置し、症状が深刻そうな場合には、病院での受診を患者に勧めるようスタッフに指導している。ゴリンキンの取り組みはすべて、マスマーケット向けに上質でなおかつきわめて手軽な医療を提供することを目的としている。上質一辺倒の医療の世界で手軽を目指したのだ。

ゴリンキンが言葉を継いでいく。「はじめのころは、イバラの道を歩いているようなものでした。何よりの難題は、利害の異なるさまざまな関係者の足並みをどう揃えるかでした」。レディィクリニックはまず、店内にクリニックを開設させてくれるよう小売チェーンを説得し、次に人々にクリニックの利用をうながさなくてはならなかった。保険の対象にもくわえてもらう必要があった。さもないと、レディィクリニックを利用するのは病院で診療を受けるよりも高くつき、上質と手軽の経済性が逆転してしまうのだ。これらの課題すべてをこなしたあとでさえ、鬼門が残っていたという。「各地の医師から猛烈な反発を受けたのです。多くの医師が、私どもの事業内容を誤解し、『自分たちの領分を侵食しようとしている』と敵意を抱きました」

このような事業機会に目をとめたのはゴリンキンだけではなかった。薬局・雑貨チェーンのウォルグリーンも、最近になって店内にクリニックを開設した。ウォルグリーンの同業であるＣＶＳは、レディクリニックの競合で「体調不良にすぐに対応します」をスローガンとするミニットクリニックを買収した。

とはいえ、今の時点では手軽をきわめた医療市場はまだまだ未開拓である。ゴリンキンはここに凄まじいチャンスが眠っていると確信している。アメリカ人の医療支出は二〇〇七年には総額二兆二六〇〇万ドルに達し、そのほぼ一〇〇％が病院での医療に費やされた。上質と手軽の天秤という観点から眺めると、誰かが手軽な医療の方程式を解いたなら、想像を絶するような巨大市場が生まれる様子が想像できる。そう、病院よりも安い費用で基本的な医療ニーズに応えるための、身近な方法を見つけたなら。

ゴリンキンが語る。「何といっても、手軽なクリニックにはいくつもの利点がありますから、繁盛しないはずがありません。この事業が定着するのは、チューブからハミガキが出てくるのと同じくらい当然のことだと思います」。

第12章 戦略

アイスホッケー普及大作戦

昨年私はテッド・レオンシスにインタビューをした。通信業界に身を置くおよそ五〇人が、ランチをとりながら私たちの話に聞き入っていた。レオンシスはアイスホッケー・チーム、ワシントン・キャピタルズのオーナーにして、一九九〇年代にAOLの興隆を支えた人物でもある。二〇〇〇年以降はさまざまな新興企業に出資するほか、ドキュメンタリー映画の製作にも乗り出した。とはいえ最もよく知られているのは、やはりワシントン・キャピタルズのオーナーとしての顔である。キャピタルズをプロ・アイスホッケー・リーグで最も熱いチームに押し上げた立て役者なのだ。レオンシスの事業上の信念は「愛されるか、必要とされるか。このどちらかの基準を満たさないかぎりビジネスは繁栄しない」である。キャピタルズが誰かから必要とされるとはおよそ考えにくい。

だから、愛されるチームにしようと思い立ったのだ。二〇〇八年から二〇〇九年にかけてのシーズンは、キラ星のような選手たちを集め、チーム史上最高のチケット完売率を記録した。

ところが、観客数が増えても、テレビ中継の視聴率はさっぱりだった。五〇人の聴衆を前にしたインタビューで私は、ナショナル・ホッケー・リーグ（ＮＨＬ）が何十年ものあいだテレビ視聴率の低迷にあえいでいる実情について、レオンシスに水を向けてみた。すべてをゼロから始めるとしたら、あなたならどんな方策をとるかと。彼は、試合中継をウェブ上に大幅に移行すると言い切った。全試合をオンライン中継し、広告を出す代わりに無料で観てもらう――。当時はＨｕｌｕやジュースト（注）によってようやく、上質なテレビ番組がネットを介してコンピュータやテレビの画面で観られるようになっていた。思い切って新しいメディアへ移行してデジタル世代に親しんでもらうのは、ＮＨＬにとって心躍る挑戦だろう（注1）。

数カ月後、私はニューヨークのＮＨＬ本部を訪れた。ＮＨＬから、「新たにとりまとめたデジタル戦略を説明したい」と招きを受けていたのだ。先々を見通した革新的な戦略だと聞かされていた。私はＮＨＬのメディアセールス担当副社長ラリー・ゲルファンドの出迎えを受け、何週間か後に公開予定の新しいウェブサイトＮＨＬ・ｃｏｍを紹介された（注2）。洗練されたサイト上に数々のハイライトシーンが動画で掲載されていたが、中継にせよ録画にせよ、試合の模様をすべて公開しているわけではなかった。二〇〇八年の時点では、主立ったスポーツリーグのウェブサイトと比べて遜色のない素晴らしい中身だったが、決してそれを上回るものではなかった。レオンシスの壮大な構想を聞いて興味津々だっただけに、ＮＨＬが立てた戦略にはがっかりした。

ＮＨＬは相変わらずテレビ中継に依存していたが、二〇〇七年シーズンの視聴率は一九九〇年代半ばよりも下がっていた。全米ネットワークでのリーグ試合の視聴率から推計すると、視聴者の数は一九九五年シーズンの半分に減っていた。すでに述べたとおり、ＮＨＬの試合はテレビのスポーツ中継として上質な部類ではない。ボールに相当する円盤《パック》は小さすぎて見えにくく、とくにテレビ画面から離れたバーの席などから見分けるのは至難の業だろう。選手の動きやスピード感をとらえるのも容易ではない。しかも、ほとんどの地域ではケーブルテレビでしか放映されておらず、番組の完成度も高いとはいえないのだ。手軽度はどうかといえば、目立たないケーブル・チャンネルで放映される試合がほとんどであるため、放映情報をつかみにくい。このように、ＮＨＬのテレビ中継は、人気スポーツのテレビ中継と比べて上質と手軽の両面で劣っている。こうしてＮＨＬは不毛地帯にはまり込み、世の中の大多数から関心を持たれずにいる。

ＮＨＬがテレビで高視聴率を稼ぐには、上質あるいは手軽、どちらかの軸でほかのスポーツの上を行く必要があるだろう。とはいえアメフト中継に上質さで勝るのは容易ではないはずだ。片や手軽さで勝負するには、全米ネットワークがゴールデンタイムにアイスホッケーの試合を放映してくれる必要がありそうだが、その可能性はきわめて低い。ＮＨＬがテレビの視聴者を惹きつけるのは難しそうである。

私はＮＨＬから、エクスペリアン・コンシューマー・リサーチによる調査結果を見せられた。Ｎ

FL（アメフト）、NBA（バスケット）、野球のメジャーリーグなど、おもなチームスポーツのファン層を比較したところ、意外にも、世帯年収の中央値が最も高いのはNHLなのだという。そのうえ、年齢が若く、テクノロジーに詳しく、オンライン・ショッピングの利用が多い傾向がある。コンピュータゲーム機を持っている比率は、ほかのスポーツのファンより二七％も高いという。NHLファンの平均像は、テクノロジーに強い、暮らしにゆとりのある若者なのだ。

ここからは、「NFLファンの多くは、ひいきのチームの試合がテレビで観られなくても、パソコン上で観戦できれば満足だろう」という結論が引き出せる。NHLはウェブ上で試合を生中継しているが、これは年間一五九ドルもするプレミアム・サービスである。三度の食事よりもアイスホッケーが好きで、しかも自由に使えるお金がいくらでもある人ならいざ知らず、ふつうのファンにとって、この価格ではおよそ手軽なサービスとはいえない。

以上すべてをつなぎ合わせると、上質vs手軽というレンズをとおした場合、テッド・レオンシスの考えはたんに興味深いだけでなく十分に的を射ているように見える。生粋のアイスホッケー・ファンにしてみれば、試合の生中継をネット上で無償で鑑賞できればきわめて手軽であり、このスポーツへの愛着がいっそう深まるだろう。もう少し視点を広げてほかのスポーツ・ファンについて考えてみても、上質vs手軽というレンズを使うと「ウェブでの試合中継に妙味あり」といえそうだ。

今の時点では、プロリーグ、大学リーグとも、ウェブ上で試合の生中継を恒例化している例はない。もしNHLが大々的にこの方向に舵を切れば、ウェブの世界で「上質なスポーツ中継」の地位を獲得できるだろう。アメフト、野球、バスケット、自動車レース、ゴルフなどの人気スポーツは、テレビ中継から多額の収入を得ているため、それを捨ててウェブに移行するわけにはいかないはずだ。NHLだけはテレビ中継からうまみを得ていないためウェブへ移行しやすく、上質さを売りにしてデジタル世代に親しまれるのも容易だろう。ちょうど、NFLがテレビ世代に最も人気のあるリーグになったように。

NHLの幹部やプロ・アイスホッケー・チームのオーナーたちは、ホワイトボード上に上質vs手軽のグラフを描き、リーグにとって大切なのは市場のどの領域か、NHLと競合相手がそれぞれどこに位置するか、分析してはどうだろう。意見の衝突もあれば議論の火花も散るかもしれないが、それをきっかけに、多様な消費者に自分たちが何をもたらすのか、その本質が見えてくるはずだ。仮にNHLが、年齢、性別、収入などにかかわらず、どの消費者セグメントにおいても不毛地帯の近くに位置しているなら、上質または手軽、どちらかの方向へ進む道を探るべきである。

「テレビで観戦するスポーツ」という切り口で見るかぎり、NHLには進むべき道はないため、そのような領域にさらに資金をつぎ込むのはやめて、上質または手軽の地位を得るためのべつの方法を探すべきだろう。レオンシスの言葉を借りるなら、愛されるか、必要とされるか、どちらかを目指して努力するのだ。どちらも無理なら、そんな市場からは撤退することだ。

新聞業界・出版業界が生き残るための選択肢

私は二十歳で日刊紙のインターンになったのを振り出しに、新聞業界に長く身を置き、四十七歳の誕生日を目前にして雑誌の世界へと転じた。そのころには新聞業界は深刻な苦境に陥っていた。業界のリーダーたちは、ウェブニュースやウェブ広告とどう戦えばいいのかわからず万策尽きたように見え、新聞社の株価は暴落し、業界のすみずみに人員削減の波がおよんでいた。憂うつな時期だった。折しも人々はかつてないほど多くのニュースを吸収していたが、それは紙の新聞からではない。NYTimes・comやWSJ・comなどごく一部をべつにすると、新聞社のウェブサイトでニュースを見る人も少なかった。

テクノロジーの進歩により、ニュース記事の上質さと手軽さの基準が上昇するなか、新聞はその動きについていけていなかった。一九八八年ごろのニュース業界について上質vs手軽のグラフを描いたら、当時の新聞業界が隆盛を誇っていたのは最も手軽なニュースを提供していたからだとわかるはずだ。一〇セントあるいは二五セントほど出せば、プロが選り抜いて編集した各分野のニュースが、朝には玄関先に届いていたのだ。読者はいつでも好きな時に新聞に目をとおすことができ（オンデマンドでニュースが手に入るのだ！）、興味のないニュースを飛ばしたり、流し読みしたりするのも自在だった。これほどあらゆる分野を網羅していて、どこでも簡単に手に入る裏づけのしっかりしたニュースなど、ほかにはなかった。地元紙は愛されてはいなかったかもしれないが、多くの人々から必要とされていた（一九八八年に専門ニュースで上質をきわめていたのはCBSテレビの「60ミニッツ」である。映像を駆使して深層に迫るニュースを提供し、きわめて高い視聴率を記録した。極上のニュースだったのだ。「60ミニッツ」は人々の生活にどうしても必要なものではなかったが、視聴者から愛された）。

二〇〇八年には奇妙な事象が生まれていた。テクノロジーの進歩を受けて、ニュースの入手方法をめぐる世代間格差が広がったのだ。この年にカーネギー・コーポレーションが行った調査によれば、「今後も新聞をニュース源として活用する」と回答した比率は、三十五歳未満の世代ではわずか八％にすぎなかった。アメリカの新聞購読者の平均年齢は五十五歳だった。（注3）ピュー・サーベイの近年の調査でも、従来型のニュース源に頼り、インターネットを活用する可能性がきわめて低い人々は、年齢の中央値が五十歳だった。（注4）

このため、一九八八年のマスマーケット向けニュース市場を上質vs手軽の切り口でとらえるには、ひとつのグラフでこと足りたが、二〇〇八年の状況を把握するには二つのグラフを描かなくてはならないのだ。

ひとつ目は、四十歳未満を想定したグラフである。この層にとってはウェブサイトが最も手軽なニュース源である。では、彼らから見た場合、新聞はどこに位置するかというと、考えるまでもなく不毛地帯である。テクノロジーの進歩に後れをとり、上質と手軽のどちらでも中途半端になってしまっているのだ。

二つ目は、四十代以上の消費者を対象としたグラフである。この層のニュースメディアへの姿勢は、過去二〇年ほどさほど大きく変化しておらず、今でも新聞を最も手軽なニュース源とみなしている。

つまり新聞は、四十代以上の人々にとっては手軽なニュース源でありつづけるかもしれないが、それより下の年齢層から重宝される可能性はほとんどないといってよい。

ここからは新聞社のとるべき方向性が見えてくるはずだ。上質と手軽の天秤という観点からは、新聞に若者を惹きつけようとする努力をやめるべきだといえる。なぜなら、いくら努力しても実を結ばないからである。その反面、中高年層からは、今後も手軽なニュース源として重宝されるだろう。紙媒体を提供しつづけるのは理にかなっているし、市場での地位をさらにたしかなものにすることもできるだろう。若者層が離れていくのを気にかけずに、四十代以上のニーズに合ったコンテンツを提供するのだ。どちらにしても、若者の大半は紙の新聞から離れていくのだから。

もっとも、すでに四十代以上に達した人々だけを惹きつけようとする戦略には、明らかな欠点がある。この市場は時とともに縮小していくからだ。たいていの新聞社はウェブサイトを設けているが、その多くはいまだに紙媒体の継子《ままこ》的な位置づけである。上質vs手軽というレンズをとおして見ると、新聞社は若者向けに特化した、紙媒体とはまったく異なるサイトを設けるべきだといえる。

中年以上には紙、若者にはウェブというように、対象年齢層によって媒体をわけるのは、どの新聞社にとってもかなり大胆な戦略だろう。しかし、上質と手軽をめぐる各読者層の意識に合わせた商品展開を目指すなら、これこそが新聞社の経営陣がとるべき戦略である。

＊＊＊

みなさんはこの本を紙、キンドルなどの電子書籍リーダー、PCスクリーンのどれで読んでいるだろうか。本の概念は変化しているだろうか。これからも本は生き残るだろうか。

アマゾンのキンドル開発チームを思い起こしてみよう。彼らは、「本とは何か」「新しいテクノロジーが紙の本と競争するのはなぜこれほど難しいのか」というテーマを誰よりも熱心に掘り下げたはずだ。興味深いことにアマゾンは、紙の本はただ活字が並んでいるだけであるにもかかわらず、それをひもとくのはきわめて上質な経験だと悟った。すでに述べたとおり、紙の本というのは非の打ちどころのない媒体である。なぜなら、読者が本の中身とつながると、媒体そのものの存在感は失われるのだ。進んで黒衣となり、読み手が書き手の思いや言葉に引き込まれやすい環境をつくる。その意味では、本は物理的な媒体というよりも、書き手の精神世界への扉なのである。(注5)

さらにいえば、内容、編集、造本の優れた本には書き手の頭脳が詰まっている。買い手の頭のなかにあるものを、読み手に漏れなくありのままに伝えるための、何より貴重な媒体である。これは映画にはできないことだ。映画は多くの人間が力を合わせて製作するものであり、俳優、監督、撮影技師などの解釈によって織りなされている。しかも、耳目を働かせて鑑賞するため、イマジネーションの翼を広げるのは難しい。記事、コラム、ブログなどは一般に短くてテーマも狭いため、書き手の複雑な思考プロセスを読み手に伝えることはできない。他方で読書は、書き手の世界に入り込んでそこで何時間も過ごし、相手との絆を育むという体験である。

アマゾンが悟ったように、陰影に富んだ人物の精神世界を紹介するうえでは本に勝るものはない。知的リーダーたちのストーリー、研究、思想などに触れることに世の中が価値を見出すかぎり、本というコンセプトが生気を失うことはないはずだ。紙の本は時とともに電子書籍に押されるだろうが、本という形式はなくてはならないものでありつづけるはずだ。

ただし、出版社や著者にとっては、本が消費者の心のなかでどれだけの位置を占めるのかが大いに気になるところだろう。この点では、ある人の知的世界をべつの人々に伝える手段である本は、重い課題を抱えている。消費者の関心を引こうとする競争は激烈をきわめており、読書――書き手の頭脳の中身を読み取る行為――は映画、ゲーム、雑誌、ウェブ、ライブコンサート、テレビなどと比べてはるかに神経を使う。本を読むにはかなりの時間がかかるため、それが人々を躊躇させることもある。それでも、極上な経験をもたらすかぎりはかまわない。上質さを得るためなら手軽さを捨てるという人は少なくない。だからこそ、熱烈な音楽ファンは万難を排してコンサートへ押し寄せる。本に関して重要なのは、不便を忍んでまで読むに値するかどうかだろう。

以上からは、さまざまな商品やサービスが消費者の関心を引こうと競い合うなか、どうすれば本の価値をうまく打ち出せるかがわかる。本を多くの読者に受け入れてもらうための戦略はただひとつ、あらゆる面で極上を目指すことだ。ベストセラーになるためには、内容、編集、造本が優れているだけでなく、オーラをまとい、読み手の個性を際立たせなくてはいけない。時代精神の一端を担った本はえてしてオーラや個性を放ち、読み手に特別な風格をもたらす。ダン・ブラウンの『ダ・ヴィンチ・コード』はこれらすべての条件を満たして四〇〇〇万部超を売り上げた。最近ではエリザベス・ギルバートの『食べて、祈って、恋をして』という離婚のメモワールとでも呼ぶべき本が、同じようにして五〇〇〇万部のベストセラーとなっている。

本の執筆、刊行、販売にたずさわる人々、本に関心を寄せる人々に向けて上質と手軽の関係をまとめると、以下のようになるだろう。

- 編集や造本が優れていて中身が数百ページにうまくまとまっているなら、本というコンセプトは依然として魅力に満ちている。紙の本、キンドル、携帯電話など、何が媒体であってもおそらくかまわない。媒体が脇役に徹して、読み手が書き手の思考、イマジネーション、人柄にじかに触れられる条件が整ってさえいれば、それでよいのだ。
- 映画、ゲーム、雑誌、ウェブ、ライブコンサート、テレビなどと張り合って一定以上の読者を獲得するためには、不便を補ってあまりあるほどの極上を追求しなくてはいけない。本の中身、オーラ、購入者の個性を際立たせる力などを組み合わせて、極上を演出するのである。

出版社や著者にとっての朗報は、極上の本がマスマーケットに受け入れられる余地が依然としてあることだ。ただし、難題もある。次々と新たなテクノロジーが登場して人々の関心をそらすため、相対的に不便に見える本が増えていくと考えられるのである。手に入りにくさが増すにつれて、その欠点を跳ね返して多くの人の心をつかむためには、さらなる上質を目指さなくてはならないはずだ。

出版社と著者は、上質さで勝負すべきビジネスにたずさわっているという自覚を持たなくてはいけない。売れるためには、ビジネス書の読者、料理本の買い手など、少なくとも一部のターゲット層にとって極上であることがいっそう求められるだろう。上質か手軽かの二者択一にからめて述べるなら、出版社や著者がとるべき将来戦略は、極上の本を発掘、企画して、それに注力することだろう。そこそこ上質であっても極上までいかない本は、低コスト、ひいては低価格を実現できる電子書籍専門の出版社に任せておけばよい（価格が下がれば、手軽でないという本の欠点の一部は解消されるはずだ）。いずれ、今と同じくらいの分量を持った紙の本の刊行点数は、現状よりはるかに少なくなるかもしれない。

ここまで読み進んできたあなたは、私の行ったリサーチ、私の経験、そこから得た見聞などを何時間もかけて共有する手間を惜しまなかったのだから、おそらくこの本を上質だと感じてくれたのだろう。時間を費やしただけの価値を見出してもらえたらよいのだが。

第13章 あなた自身の強み

ジム・コリンズの『ビジョナリー カンパニー2』(注1)は、ハードカバーのビジネス書として異例の売上を誇っている。私は一九九〇年代はじめからジムと親交があり、彼が『ビジョナリー カンパニー2』の執筆に向けてリサーチをしているあいだ、上質から極上へと飛躍をとげた企業をめぐる発見について聞く機会があった。そのなかでもとりわけ心に響いたのは「ハリネズミの概念」である。つまり、偉大なる企業は、自社が世界一になれそうな分野に見極めをつけ、その分野に徹底的に注力するのだという。この概念は企業だけでなく個人にも当てはまるはずだ。ジムがハリネズミの概念を紹介してくれたのは、彼の地元コロラド州ボールダーのレストランで私の職業人生についても語り合っている時だった。ジムは私に、自分なりのハリネズミの概念を見つけ出してそれを追求するように諭してくれたのだ。

ジムはべつの機会にも、これと関連した話をしてくれた。その時は執筆のためのリサーチとは関係なかったが、「頂点をきわめるには二つの方法がある」という趣旨だった。ひとつは、競争相手とひしめき合うようにして、用意された階段をのぼっていく方法。もうひとつは、自分だけの階段をつくってそのてっぺんに身を置く方法である。これはハリネズミの概念を少しひねった「階段の概念」ともいえるものだ。既存の領域で一番になれないなら、絶対に他人に負けない自分の強みを考えて、それにふさわしい領域を切り開けばよい。起業家たちもこれと同じ道を歩み、IBMやボーイングのCEOを目指す代わりに自分で会社を興している。

ジムもしかり。彼は同僚とともに『ビジョナリー カンパニー』を上梓して全米ベストセラーを記録したあと、スタンフォード大学ビジネススクールでの教職をなげうって独立し、経営の指南役になったのだ。いわば先例のない職業についたのだから、その瞬間からジムは世界一だった。

この本の第一章では、ノースカロライナ州障害者雇用促進センターのワシントン事務所長ダニエル・スティーブンスを紹介した。スティーブンスは事務所の方針を変更して手軽さに注力するようになった。「予期せず人手不足が生じた折に、十分に仕事をこなせる人材をすぐに紹介します」と地元の企業や商店にアピールしたのだ。

以上のエピソードはすべてひとつにつながる。上質と手軽の天秤は個人にも当てはまる。上質あるいは手軽のどちらかひとつを目指すのが最も望ましい戦略なのである。

＊＊＊

ジム・コリンズのハリネズミの概念と階段の概念は、どちらも強みに着目したものだ。大志を抱き、職業人生について筋のとおった考えを持っているなら、何らかの分野をきわめる方法を見つけられるはずだ。上質か手軽かの二者択一という概念は、特定の職種や業種で自分が一番になれる分野を探し、そこで極上の地位を目指すという道を指し示している。

音楽センスに秀でた人は、えてしていくつもの楽器をみごとに弾きこなす。ギターを弾くのが好きで、ほかのどの楽器よりもギターを得意とする人がいるとしよう。それでも、ギタリストを目指す人々はほかにいくらでもいるため、並居るライバルを押しのけて仕事を得るのは狭き門かもしれない。引く手あまたの超一流ギタリストにはなれず、腕は悪くないが何とか暮らしていけるかどうかの状態に甘んじることになるだろう。

仮にその人がマンドリン演奏も手がけ、ギターと同じくらい得意だったとしよう。マンドリンのほうが演奏者が少ないため、一流になれる可能性は高いと考えられる。ギターほど需要がないにせよ、ハリネズミの概念と上質か手軽かの二者択一はどちらも、地味なギタリストとしてくすぶるよりも、世界で一流のマンドリン奏者を目指したほうが幸せだと示唆している。ギタリストの世界で不毛地帯に沈むのではなく、マンドリン奏者として上質をきわめたほうが、仕事に恵まれ、収入も多いだろうから。

輝かしい成功を収める人というのはたいてい、何かの分野をきわめている。街で一番の不動産仲介業者、花形会計士、高度な手術のスペシャリストなどだ。上質であればあるほど仕事の依頼が引きもきらず、高い報酬を要求でき、手軽である必要は小さくなる。

もちろん、誰もがどこかの分野で上質の頂点をきわめられるわけではない。その場合は手軽をきわめようとするのが賢明だろう。街で最も腕利きの不動産業者になれないなら、手軽で一番を狙うのだ。テキストメッセージによる問い合わせに即答する。不動産を売却したい人々に気楽に利用してもらうために、あらゆる方策を尽くす。競争に勝つために手数料を下げて手軽度を高める……。とにかく手軽をきわめるために打てる手をすべて打つのだ。

ダニエル・スティーブンスもノースカロライナでこの点に気づいた。彼の事務所が職をあっせんしようとする人材は、極上の働き手にはなれそうもなかった。しかし、「空きポストをすぐに埋める人材」として売り込むことはできた。こうして状況は一変したのである。

世の中で活躍著しい人々は、上質または手軽のどちらかをきわめているものだ。不毛地帯でくすぶっていたのでは、キャリアの見通しは非常に暗いといわざるをえない。くわえて、企業と同じく個人もまたテクノロジーの進歩に留意しておく必要がある。今の職業で上質ないし手軽の頂点にいたとしても、テクノロジーが必ずや進歩するため、いずれ誰かがそれをテコにしてあなたを凌ぐ存在になるのだ。企業と同様に個人もまた、ライバルに追い抜かれないためには努力、献身、成長を怠ってはならない。

今ら一五〇年以上前、ヘンリー・デービッド・ソローはマサチューセッツ州ウォールデン池のほとりで『ウォールデン 森の生活』を執筆し、「大多数の人は静かな絶望を抱いている」という不朽の名文をつづった。私はこの一文に、「なぜなら、あまりに多くの人々が仕事のうえで不毛地帯に陥ってしまっているからだ」と添えたい。

ほかの人々にはない自分ならではの持ち味や強みをはっきり自覚したなら、静かな絶望は消えていくはずだ。

7. Kevin Maney, "A PDA for the Holidays? Qxfzg!" USA Today, December 16, 1993.
8. 私は2006年3月、ジェフ・ホーキンス、ドナ・ダビンスキーにパームの草創期について個人的に取材をした。この項はその取材の内容にもとづいている。
9. Daniel Roth, "Driven: Shai Agassi's Audacious Plan to Put Electric Cars on the Road," Wired, August 18, 2008.
10. 2008年10月にサンフランシスコで開催されたウェブ2.0サミットでの発言。アガシはホストのひとりティム・オライリーのインタビューを受けていた。

❖第11章

1. フレッド・フランセン（センター・フォー・エクセレンス・イン・ハイヤー・エデュケーション）への2008年3月のインタビュー。
2. http://www.ncahlc.org/index.php?option=com_content&task=view&id=80&Itemid=108
3. http://www.achievement.org/autodoc/page/smioint-1.
4. Scott Carney, "The $3,000, 33-Horsepower, Snap-Together Ride to the Future'" Wired, July 2008.
5. ウェブスター・ゴリンキンへの2008年11月のインタビュー。

❖第12章

1. テッド・レオンシスへの2008年のインタビュー。
2. 2008年10月にナショナル・ホッケー・リーグ（NHL）本部を訪問した際のやりとりにもとづく。
3. Eric Alterman, "Out of Print," The New Yorker, March 31, 2008.
4. "The State of the Media 2008," Pew Research Center's Project for Excellence in Journalism.
5. 2008年4月のジェフ・ベゾスへのインタビュー。

❖第13章

1. Jim Collins, Good to Great (New York: HarperCollins, 2001)（『ビジョナリー カンパニー 2』ジェームズ・C・コリンズ著、山岡洋一訳、日経BP社、2001年）.

※ URLは原書執筆時のもの

April 9, 2008.
7. David Margolick, "Tall Order," Condé Nast Portfolio, July 2008.
8. Melissa Allison, "Starbucks Closing 5 Percent of U.S. Stores," Seattle Times, July 2, 2008.
9. Fred Vogelstein, "The Untold Story: How the iPhone Blew Up the Wireless Industry," Wired, September 2008.
10. マーク・アンドリーセンへの2008年9月のインタビュー（カリフォルニア州パロアルトにて）。
11. Andrew Sleigh and Hans von Lewinski, "China: Moving Up the Value Chain," Accenture's Outlook Journal, September 2006.
12. Liang Hongfu, "Move Up the Value Chain," China Daily, October 18, 2005.
13. Julie Jette, "Selling Luxury to Everyone," Working Knowledge, April 18, 2005.
14. http://familyfriendly.wordpress.com/2008/01/21/cruisepassengers-predicted-for-2008-128-million/
15. Ellen Byron, "To Refurbish Its Image, Tiffany Risks Profits," Wall Street Journal, January 10, 2007.

❖第9章

1. ウラダウスキー・バーガーへの2007年8月と2008年4月のインタビュー。
2. Kevin Maney, "Vacuum Sweeps into History," USA Today, January 15 2003.
3. コリン・アングルへの2002年と2003年のインタビュー。
4. Ed Frauenheim, "Robo-Vacuum Wins Wall-to-Wall Praise at Confab," ZDNet, October 21, 2004.
5. Harold Evans, They Made America (Boston: Little, Brown & Co., 2004).
6. Scott McCartney, "Airlines Rely on Technology to Manipulate Fare Structure," Wall Street Journal, November 3, 1997.
7. Robert G. Cross, Revenue Management (New York: Broadway, 1997), 125（『儲からない時代に利益を生み出すRM[収益管理]のすべて』ロバート・G・クロス著、水島温夫訳、日本実業出版社、1998年）.

❖第10章

1. クレイグ・マッコーへの1994年11月のインタビュー。当時の取材ノートやUSAトゥデーに書いた記事は今も持っている。
2. 1994年にテレデシックがメディア関係者や出資検討者に配った資料の原本は、今も手元にある。25ページほどの資料にはテレデシックの需要予測が、べつの25ページの資料にはシステムの性能が、それぞれ紹介されている。
3. Scott Kirsner, "Breakout Artist," Wired, September 2000.
4. John Heilemann, "Reinventing the Wheel," Time, December 2, 2001.
5. David Usborne, "Whatever Happened to the Segway?" The Independent, May 19, 2007.
6. Kevin Maney, "Keeping in Touch: Apple Puts Computer in Your Pocket," USA Today, August 3, 1993.

❖第6章

1. ロバート・ピットマンへの2007年11月13日のニューヨークでのインタビュー。
2. David A. Hounshell and John K. Smith Jr., Science and Corporate Strategy: Du Pont R&D, 1902-1980 (New York: Cambridge University Press, 1998).
3. History of Yugo cars, http://www.inet.hr/~bpauric/epov.htm
4. Kevin Maney, "Webvan Lugs a Dream: Company Hopes Food Will Whet Appetites for Retail Revolution," USA Today, June 27, 2000; Harvard Business School case study on Webvan by Andrew McAfee and Mona Ashiya, http://ecommerce.pkeducation.com/blog/wp-content/uploads/2008/03 /webvan-sep-2001-hbr.pdf
5. Sunil Sharma, "Behind the Diffusion Curve: An Analysis of ATM Adoption," paper for the International Monetary Fund, 1991.
6. Michael Barbaro and Steven Greenhouse, "Wal-Mart Chief Writes Off New York," New York Times, March 28, 2007.
7. Suzanne Kapner, "Wal-Mart Enters the Ad Age," Fortune, August 18, 2008.
8. 以下にGEの当時の広告が再現されている。TVHistory.tv: http://www.tvhistory.tv/1939_Dec_Fortune_GE_Advert.JPG
9. "Number of TV Households in America" chart, http://www.tvhistory.tv/Annual_TV _Households_50-78.JPG
10. Kevin Maney, "The 3D Dilemma," Condé Nast Portfolio, July 2008.
11. ブルース・ギンズバーグへの2006年4月のインタビュー。

❖第7章

1. アントニオ・ペレスへの2007年11月のインタビュー（ダートマス大学にて）。
2. Kevin Maney, Megamedia Shakeout: The Inside Story of the Leaders and the Losers in the Exploding Communications Industry (New York: John Wiley & Sons, 1995), 244-45（『メガメディアの衝撃』ケビン・メイニー著、古賀林幸訳、徳間書店）.
3. Pew Research Center, U.S. Daily Newspaper Circulation 1996-2006.
4. Pew Research Center, Daily Newspaper Readership by Age Group.

❖第8章

1. Howard Schultz and Dori Jones Yang, Pour Your Heart Into It: How Starbucks Built a Company One Cup at a Time (New York: Hyperion, 1997), 52（『スターバックス成功物語』ハワード・シュルツ、ドリー・ジョーンズ・ヤング著、小幡照雄、大川修二訳、日経BP社）.
2. 同上 119-20.
3. ジョージメイソン大学のタイラー・コーエン教授への2008年のインタビュー。
4. Schultz and Yang, Pour Your Heart Into It, 307（『スターバックス成功物語』）.
5. Michael S. Rosenwald, "Small Coffee Shops Turn the Tables," Washington Post, July 14, 2008.
6. Maria Bartiromo, "Howard Schultz on Reinventing Starbucks," BusinessWeek,

原注

❖第2章

1. アマゾンのジェフ・ベゾスCEOへの2008年4月14、15日のニューヨークでのインタビュー。
2. http://www.marxists.org/reference/subject/philosophy/works/ge/benjamin.htm
3 http://www.engadget.com/2008/03/03/audiophiles-cant-tell-the-difference-between-monster-cable-and/
4. ケース・ウェスタン・リザーブ大学（クリーブランド）のメアリー・デイビス教授への2008年春のインタビュー。
5. テッド・レオンシスとこの件で最近言葉を交わしたのは、2008年5月、バージニア州マクリーンで開催されたテレコム・ハブの昼食会でのインタビューである。レオンシスにはこのほかにも15年前から何度も取材してきた。
6. Pew Research Center, "Things We Can't Live Without: The List Has Grown in the Past Decade" (2006): http://pewsocialtrends.org/pubs/323/luxury-or-necessity

❖第3章

1. アーヴィング・ウラダウスキー・バーガーへの2007年8月のインタビュー。
2. Leslie Cauley, "Consumers Ditching Land-line Phones," USA Today, May 14, 2008.
3. Deborah Fallows, "Looking for Information about a Place to Live," Pew Internet & American Life Project data memo, December 13, 2006.
4. Pew Research Center, "Things We Can't Live Without: The List Has Grown in the Past Decade" (2006): http://pewsocialtrends.org/pubs/323/luxury-or-necessity
5. ビル・グロスへの2008年2月のインタビュー。カリフォルニア州パサデナのアイデアラボ本社にて。

❖第5章

1. Michael Copeland, "Tesla's Wild Ride," Fortune, July 21, 2008.
2. 私は2008年夏、モトローラとRAZRの取材でニッケルにインタビューした。その記事はコンデナスト・ポートフォリオ2008年10月号に掲載された。
3. Juliann Sivulka, Stronger Than Dirt: A Cultural History of Advertising Personal Hygiene in America, 1875-1940 (Amherst, NY: Humanity Books, 2001).
4. http://www.foodsafety.gov/~lrd/history2.html
5. "99 Bottles of Beer on the Wall," Fortune, August 18, 2008.
6. "Crocs Sinks on Concern Allure Is Fading as Sales Drop," Bloomberg, August 18, 2008.
7. "Steve Wynn's Vegas Vision," Nightline, September 26, 2007.

謝辞

私は運命をことさら信じているわけではない。しかし時として、さまざまなことがらが絡み合って運命のいたずらを招くこともある。そうなると、もう逃げようがない。

仕事上のいくつもの成り行きに導かれて、私はこの本の執筆を考えるようになった。ところが、企画書をとりまとめ、頼りがいのある代理人のサンディ・ダイクストラを通じて編集者に紹介してもらったあと、プライベートで悪夢にみまわれた。大人になってから最大の危機である。何か明るい知らせはないかと、すがるような気持ちだった。そんなある月曜日、サンディから連絡が入り、ダブルディのロジャー・ショールが私の企画に大いに乗り気だと知らされた。その週の木曜日には契約が成立していた。絶妙なタイミングですべてがひとつに溶け合ったように思えた。こうして、今あなたが手にしているこの本が生まれたわけだ。ロジャーとサンディ、この本に価値を見出したうえ完成への後押しまでしてくれて、ほんとうにありがとう。

アイデアをまとめるうえでは、このうえなく頭脳明晰な知人たちから手を差し伸べられた。感謝に堪えない。テッド・レオンシスは、自身がオーナーを務めるプロ・アイスホッケー・チーム、ワシントン・キャピタルズの練習用リンクで話を聞かせてくれた。マーク・アンドリーセンは、カリフォルニア州パロアルトのお気に入りレストラン、ホビーズで食事をしながら、私のノートにいくつものグラフを描いてくれた。ジェフ・ベゾスとは、ニューヨークにあるコンデナスト社の会議室で意見を交わすことができた。コダックの経営チームとは、二月とは思えないほど暖かいある午後、ニューヨーク州ロチェスターで上質さと手軽さにまつわる私のいくつものアイデアについて、口角泡を飛ばすようにして議論した思い出がある。そして地元バージニア州フェアファックス郡では、ジョージメイソン大学でビジネスの教鞭をとるJ・P・オーフレット教授から、昼食をともにしながら何度も助言を得た。コンデナスト・ポートフォリオ誌にも恩義がある。私が二〇〇七年に参画したポートフォリオは、残念ながら二〇〇九年四月、この本の脱稿と相前後して休刊となったが、編集部の同僚たちは執筆活動を温かく見守ってくれた。USAトゥデーにも感謝を捧げたい。私は人生の半分近くをUSAトゥデーの記者として過ごし、ジャーナリズムについての知識のほとんどをそのあいだに吸収した。この本にも、ポートフォリオやUSAトゥデーを初出とする内容が散りばめられている。

血をわけたスコットにもお礼を。上質さと手軽さを軸としたグラフは、スコットのデザイン会社ジョーンズ・インクの作品である。結びに、アリソンとサムに「ありがとう」を。君たちは「子どもは、十代になるととても遠い存在になる」という言い習わしは間違いだと証明してくれた。二人が高校生活を送る様子を眺めるのも、それにまつわるすべての経験も、私にとっては二人との最高の時間なのだ。この本が売れて、君たちの進学費用の足しになるとよいのだが。

解説

内田和成

本書の内容を一言で言い表せば「中途半端はだめである」ということに尽きます。まさに「戦略とは捨てることなり」で、成功したければ上質か、手軽か、その一方を選びなさいということです。競争戦略の用語にstuck in the middleというものがあります。直訳すると「中途半端なところで立ち往生する」という意味ですが、差別化にも低コスト化にも不徹底である状態を指しています。ケビン・メイニーはこれを「不毛地帯」と空間的イメージで説明しました。欲張って上質と手軽を同時に目指そうとすると、この不毛地帯に陥ってしまうというわけです。

本書でいくつも例が挙げられているように、多くの商品がこの不毛地帯に陥っています。鳴り物入りの商品が期待はずれに終わったり、一世を風靡したヒット商品が意外なほどすぐに廃れてしまったり。なぜ、上質と手軽のどちらか一方をきわめることがそれほどまでに難しいことなのでしょうか。

ひとつには、上質と手軽の定義は時間とともにかわる相対的なものであるからです。ある時期に上質をきわめて成功したものが、いつのまにか上質とみなされなくなっていく。また、手軽をきわめてヒットしても、さらに手軽なものが出てきてしまう。こうした変化する状況に対して、そのときどきで上質をとるか、手軽をとるか、判断し直さなくてはなりません。

本書では、スターバックスが上質なコーヒー店として成功したのち、店舗を拡大しすぎて普通のコーヒー店になりつつある、つまり上質感を失いつつあることが指摘されています。日本では、スターバックスの上質に対して、手軽で勝負しているのがドトールコーヒーでした。そこへマクドナルドの一〇〇円コーヒーが登場しました。「さらに上を行く手軽」からの挑戦です。企業は常により上質な競争相手、より手軽な競争相手からの挑戦を受けています。

たとえば、ピープル・エクスプレスという格安航空会社が当時としては常識はずれの低運賃で既存の航空会社を出し抜いた例が紹介されています。これに対して危機を感じたアメリカン航空は、ピープルに対抗できる低運賃を実現しながら、ピープルよりも上質なサービスを追求しました。つまり「格安航空を利用する顧客」というセグメントのなかで上質をきわめることで勝負したのです。アメリカン航空は、この戦略によってピープルを打ち負かしました。既存企業の逆襲として見事な例です。日本の例でいえばJTBがHISにどう対抗するかが同じような課題になるでしょう。

このケースが示唆している重要な点は、上質と手軽はセグメントごとに考えなくてはならない、ということです。年齢層、国、所得などによって、何を上質または手軽と感じるかはまったく違ってきます。たとえばキンドルのメインユーザーは四〇〜五〇代です。本に近い読書体験を提供してくれるデバイスだからでしょう。しかし若い人にとっては、キンドルよりも普通の携帯電話やiPod touchやiPhoneのほうが手軽な電子書籍リーダーなのです。彼らはスクリーンで活字を読むことに慣れているので「紙と同じように読める」ということを「上質な体験」とは感じないのです。

上質か手軽の一方を選ぶことがかくも難しいもうひとつの理由は、何が上質か、何が手軽かを企業が自分で判断できないという点にあります。その判断をするのは自社でも同業他社でもなく、消費者です。たとえばｉＰｏｄやｉＰｈｏｎｅにはマニュアルがありません。ライバル企業からみれば「利用者に不親切」「非常識」とうつっても、消費者は説明書を読まなくても使えるから便利で、しかも紙を使わないから環境にもいいと感じるかもしれない。

いま、若い人の多くがニュースを新聞などの印刷メディアではなく、ネットから得ています。簡単に、タダで、いちはやく手に入れられて、そこそこ信頼できる情報。彼らにとってはそれで十分なのです。新聞を売る側が「われわれは信頼性が高くて上質なサービスを提供している」と主張しても、若い人たちが本当にそう思わなければ買わないでしょう。

音楽も同様です。二万円も三万円もするオペラのチケットを躊躇なく買う層にとっては、コンサートが上質で家庭用のオーディオで聴く音楽は手軽ですが、音楽はもっぱらネットからダウンロードして聴く人にとっては、わざわざＣＤを買ってきて専用のプレーヤーで聴くのは上質な経験です。

同じモノやサービスに接しても、それを上質と感じる人もいれば手軽と感じる人もいる。どちらのセグメントの人々を相手にするのか。あくまでも消費者起点で考えなければ判断を誤ります。

手軽の条件としては、価格が安い、使いやすい、手に入れやすいなどがあげられています。これらは比較的わかりやすい特性ですが、上質の条件となると、一筋縄ではいきません。より主観的で感覚的な要素が入り込みます。そこでメイニーは、上質を次のように因数分解しました。

＊＊＊

上質＝経験＋オーラ＋個性

オーラだけあっても経験、個性が伴わなければ、上質感はたちどころに失われます。本書で紹介されていたティファニーやＣＯＡＣＨの例でもあるように「手に届くラグジュアリー」といういいとこどりの戦略は、かえって上質さを薄めることになります。質を追求するのであれば、実質のないオーラだけでなく、経験、個性といったものがすべてそろっていなければなりません。アウトレットで大量に売られていたり、学生でも簡単に手に入るものがラグジュアリーといえるでしょうか。

上質を求める顧客は商品をそのものだけではなく、それを使う経験に対してもお金を払っています。スターバックスのコーヒーがドトールのコーヒーより高いのは、座り心地のいい椅子でゆったりとコーヒーを飲むという経験まで値段に含まれているからです。そういうことを売る側がきちんと理解して、それを嫌味にならないようにうまく顧客に伝えられたときにオーラが生まれ、それが何度もフィードバックされてある種のブランド神話のようなものが生まれるのです。

ただ、神話レベルにまで高められた上質も、一歩間違えば簡単に希釈されてしまいます。テクノロジーとイノベーションの影響により、上質と手軽の水準は絶えず押し上げられていて、現状に甘んじて改善を積み重ねることのない企業はすぐに不毛地帯に転落するおそれがある、とメイニーは指摘しています。

興味深いのは技術革新やビジネスモデルの大転換がないところにも、上質と手軽のトレードオフがいくらでも転がっているという点です。

たとえば衣料品。スーパーの衣料品は、値段が手ごろで買いやすい、つまり手軽さが強みでしたが、ユニクロやしまむらが出てきて、徹底した低価格を追求、都市部に出店攻勢をかけたために、太刀打ちできなくなりました。もしあなたがスーパーの経営者だったら、この事態をどう打開するでしょうか。昨今のユニクロは手軽な服からより上質な服へとシフトを切っているようにも見えますが、果たして成功するでしょうか。トレードオフの概念で考えてみると、さまざまな仮説が描けます。

ハンバーガー業界の動きもこの概念にあてはめて考えることができます。いま「注文を受けてから焼きます」という上質路線で勝負していたモスバーガーが苦戦しています。上質という軸ではフレッシュネスバーガーやクアアイナなど、より個性的なチェーンが存在感を増しており、手軽さでは圧倒的価格競争力のあるマクドナルドが独走状態です。さらにマクドナルドは前出のアメリカン航空のように、低価格というセグメントのなかで上質を狙う動きも見せています。

いまの日本市場は成熟していて、物質的な飢餓感は希薄です。はなから上質など求めない時代に突入しているといってもよいかもしれません。既存プレーヤーは、低価格や使いやすさを武器にした新参者に対して「優れた質」をもって戦おうとしがちですが、そもそも消費者が既存の枠組み内での上質を求めているかどうか、そこから問い直すべきでしょう。メイニーは「上質か手軽か」を「上質とは愛されることであり、手軽とは必要とされることである」という絶妙な表現で置き換えていますが、技術が優れているとか、手間隙をかけてつくったという事実だけで「愛される」ことはないのです。

* * *

本書の内容は、拙著『異業種競争戦略』で述べたこととその多くが符合していると思いました。私が自著で述べたのは、成熟した市場においては、これまで競争相手とは考えられなかった相手と正面から戦わなければならない局面が増えてくる、ということです。カメラメーカーが家電メーカーと、トイレタリーメーカーが化粧品メーカーと、ガス会社が電気会社と戦うという「異業種格闘技」がいたるところで見られます。

たとえば手軽で一世を風靡したゲーム機であるニンテンドーDSが、より手軽な携帯電話でのゲーム戦争を仕掛けられています。ここでは従来のソニーのプレイステーションやマイクロソフトの

Ｘｂｏｘを相手にした戦い方は通用しません。ＧＲＥＥやモバゲーあるいはｉＰｈｏｎｅ上の数々のゲームに代表される携帯電話で楽しむゲームとどう戦っていくのかが求められます。

そこでは、同業種内での競争を前提にした従来の競争戦略は役に立ちません。こうした異業種格闘技では、自社の提供する商品やサービスを顧客視点で見ることが不可欠なのです。消費者は何に対してお金を払っているのかを常に自問する必要がある。

異業種間の競争を上質と手軽で斬ってみると、今まで見えていなかったことが見えてきます。自社製品は上質という価値で戦っているのか、手軽という価値で戦っているのか。また、さらなる上質・さらなる手軽で勝負を仕掛けられた場合、戦う手段を変えるか否か。

かつては成功していた商品に翳りがでてきたときに、重要なことを見落としていないかをチェックするためのツールとして上質と手軽という概念は役に立ちそうです。いまは消費者に支持され、順調に売れているものについても、この観点から定期的に見直していけば、不毛地帯に陥ることをある程度防ぐことができるでしょう。

上質か手軽か――二者択一のぎりぎりの判断をどこで下すか、状況が変わった場合はどんな選択肢を考えればよいか、といった具体的戦略については、残念ながら本書で十分に掘り下げられているとはいえません。少し厳しい言い方をすれば、視点としては面白いが実戦で役に立つレベルにまで洗練された概念ではない。ロングセラーとなっているクレイトン・クリステンセンの『イノベーションのジレンマ』にその実践書としての『イノベーションへの解』があるように、『トレードオフ』にも現場で使える続編が出ることを個人的には期待しています。

＊＊＊

本書の最終章では、上質と手軽のトレードオフという概念は、個人の仕事にもあてはまると述べられています。何かの分野をきわめたスペシャリストになるか、身近で頼られる人になるか。そのどちらかに自分の能力の発揮の仕方を決める人が抜きん出た成果をあげるということです。

これは個人のみならず、国のあり方にもあてはまると思います。今までの日本は手軽な国でした。低価格で信頼性の高い製品をつくることで競争力を発揮していました。しかしその地位はいまや中国や韓国に奪われつつあります。たとえば自動車。韓国の現代などに「手軽」で追い上げられる一方で、ベンツ、ＢＭＷ、ポルシェといったヨーロッパの高級車と「上質」で互角に戦えるだけのオーラや個性はない。私は今後の日本は明確に上質を目指すしかないと思っています。

さまざまな価値が交錯しながら進んでいく時代のなかで、個人にも、企業にも、国にも「捨てる勇気」と「賭ける勇気」が必要とされているのです。

（早稲田大学ビジネススクール教授）

◉著者略歴

ケビン・メイニー（Kevin Maney）
USA Todayのテクノロジーコラムニストを振り出しに、Fortune、The Atlanticなどに執筆。2007年、コンデナスト社が鳴り物入りで創刊したビジネス誌、Condé Nast Portfolioの専属記者として迎えられた（同誌は09年に休刊）。主な著書に『貫徹の志 トーマス・ワトソン・シニア』（ダイヤモンド社）『メガメディアの衝撃』（徳間書店）などがある。
◉著者ウェブサイト：www.kevinmaney.com

◉訳者略歴

有賀裕子（あるが ゆうこ）
東京大学法学部卒業。ロンドン・ビジネススクール経営学修士（MBA）。通信会社勤務を経て、翻訳に携わる。訳書に『持続可能な未来へ』（ピーター・センゲほか著、日本経済新聞出版社）『ブルー・オーシャン戦略』（W・チャン・キム+レネ・モボルニュ著、ランダムハウス講談社）『マネジメント』（ピーター・ドラッカー著、日経BP社）ほか多数。

トレードオフ

2010年7月17日　第1刷発行
2010年9月 7 日　第4刷発行

◉著　者　ケビン・メイニー
◉訳　者　有賀裕子
◉発行者　藤原昭広
◉発行所　株式会社プレジデント社
〒102-8641　東京都千代田区平河町2-16-1
平河町森タワー
電話：編集（03）3237-3732
販売（03）3237-3731
◉編　集　中嶋 愛
◉装　丁　竹内雄二
◉制　作　小池 哉
◉印刷・製本　中央精版印刷株式会社

©2010 Yuko Aruga
ISBN 978-4-8334-1936-9
Printed in Japan
落丁・乱丁本はおとりかえいたします。